DÉRIVE DE JOSAPHAT

ISBN : 2-7384-0980-6

Michel PONNAMAH

DÉRIVE DE JOSAPHAT

Récit

Editions L'Harmattan
5-7, rue de l'Ecole-Polytechnique
75005 Paris

Du fait de la ruine de l'économie sucrière, l'Habitation Beaumont a été démembrée et vendue en parcelles.

L'ancien ouvrier agricole, Josaphat Allama, erre le long du canal qui jadis fournissait de l'eau au moulin de la sucrerie.

Ce parcours est aussi une remontée dans le temps de l'Habitation dont la fondation coïncide avec les débuts de la colonisation de l'île.

Errance d'un vieil Indien dans le passé de la plantation où se déployèrent des imaginaires afro et indo-antillais.

Temps affectif, temps historique et temps mythique se développant dans un espace clos, l'Habitation.

Ici la vision du monde est celle d'un Indien dont l'enracinement antillais date du XIXe siècle, et qui reste encore une figure du Même discriminée.

« Là où le monde n'a pas été morcelé
entre d'étroites parois mitoyennes... »

Rabindranath TAGORE
(*L'offrande Lyrique*, 35,
Poésie, Gallimard)

« Un homme cafre, un homme de Calcutta »

Aimé CESAIRE
(*Cahier d'un retour au pays natal*)

« La littérature vit de mythes. Elle crée
et détruit les mythes. Elle raconte la
vérité chaque fois de façon différente. »

Gunter GRASS
(*Colloque de Lathi, Finlande*)

Cette nuit la digue lui était apparue plus imposante que lors du rêve précédent.

De minces filets d'eau s'échappaient des interstices du gigantesque rideau de bambou et bois-canon qui barrait le cours de la rivière.

Ils se frayaient de petites rigoles sinueuses dans le lit boueux et limoneux où une innombrable quantité de ti-lapias, dormets, mulets, anguilles se débattaient contre l'asphyxie au milieu de flaques d'eau sale qu'ils troublaient davantage en dessinant des cercles funéraires avant de se retourner inertes.

Plus extraordinaire était ce grouillement de crustacés aux variétés portées disparues, depuis que la Lézarde avait pris l'aspect d'une large coulée de vidange : des chevrettes, des boucs, des Papa-Jacques poilus avec des yeux sanglants comme de mauvais Nègres, des z'habitants qui, en grosseur, égalaient des langoustes, mais aussi des crabes-ciriques, des crabes-mayas, des burgos nacrés, gros comme le poing et qui feraient un régal avec du fruit à pain, ainsi que toute une nuée de larves qui froufroutaient au-dessus de la boue comme des moustiques ; tant de vie était là qui se gâtait et pouvait nourrir diverses habitations.

A ses yeux, ce spectacle était de loin plus impressionnant que celui qu'offrait la Lézarde durant la période de la Passion, lorsqu'on y enivrait la faune au moyen, il ne sut jamais, de quel produit. Alors la rivière étalait à sa surface tous ses poissons qu'on n'avait plus qu'à ramasser comme mangots-verts à la pleine saison, et ce, durant une journée, juste avant que l'eau alourdie, visqueuse et empuantie n'imprimât à son débit la lenteur du molocoye, ou le ralenti de l'ivrogne appréhendant sa chute.

C'est peu après trois heures de l'après-midi que Josaphat Allama quitta la route nationale et s'engagea dans une tracée de l'Habitation Beaumont. Le sol poussiéreux était parsemé de cailloux acérés, aussi brûlants que la chaussée, où le goudron ramollissait. Il s'engouffra sous une jeune bananeraie, troublant ainsi l'affairement de jeunes colibris frénétiques, autour des premiers régimes en fleurs. Le froissement des feuilles, fit s'envoler en pépiant, un groupe de merles en direction de la lisière de bambous qui balisait le cours de la rivière. Elle serpentait au milieu d'une vaste plantation de bananes qui évoquait une étendue marine, tant par son immensité que par le mouvement ondulatoire imprimé à sa multitude de feuilles, lorsque l'alizé les faisait vibrer en éventails, exposant tantôt une face tantôt l'autre au rayonnement solaire.

Le rythme de cette surface était moins rendu par la mobilité des feuilles, que par la variation des tons allant du vert foncé au vert pâle, du glauque à l'argenté. Il s'accentuait sous l'effet du passage, par vagues régulières sur les bananeraies, de grands pans d'ombre résultant du déplacement de nuages moutonneux.

Ce paysage n'émouvait pas particulièrement Josaphat. Il lui apportait la mesure de sa petitesse et lui causait une sensation d'étouffement comme si ses narines s'obstruaient ou qu'il se trouvât en immersion.

Mais ce qui retenait volontiers son attention, c'étaient quatre tiges de bambou sec, qui se dressaient au-dessus des plantations, et servaient de repères pour l'épandage aérien des bananiers.

Pour Josaphat, elles évoquaient le mât de la divinité protectrice du voyage, Nagurmira, érigé à l'orée des chapelles indiennes.

Les feuilles laquées lui blanchissaient le front et les bras d'une mince pellicule. Elles se terminaient par un filament noirâtre, minuscule queue d'anoli, qu'enfant il prenait plaisir à rompre et à voir osciller à la manière du serpent qu'on lui décrivait si souvent comme étant une bête craintive et farouche et qu'il redoutait de rencontrer lorsqu'il coupait un jeune bambou dans une touffe large et impénétrable ou bien une tonnelle de lianes-douces pour les lapins, à la lisière des roseaux où tout craquement présageait une morsure. Il atteignit la voie ferrée qui longeait la rivière et traversait plusieurs plantations. Les rails qui étaient encroûtés d'une épaisse couche de rouille, disparaissaient par moment sous des touffes d'herbe-Guinée et de chiendent.

Le vent soudain se leva, imprimant bruits et mouvements aux feuilles. Mais il n'était pas porteur d'odeurs de banane, de feuilles ou de troncs en charpie ; il n'avait rien de cette étendue de bananiers dont les tiges drapées de hardes kakies ressemblent à des hommes qui guettent, dans une fixité de malfaiteurs à l'affût, de coolis en vagabondage — comme disait son grand-père —, ou de grévistes masqués, armés de gourdins de limier aux épines acérées comme des éperons.

Josaphat renifla fortement puis écarquilla les yeux. Quelque chose d'insolite était tapi dans l'air, une odeur qui dépareillait dans l'atmosphère de la bananeraie. Elle s'était imposée à celle des plantes, des efflorescences, ainsi qu'à la fraîcheur de la terre ensilée sous la paille et la voûte des feuilles. Pareille à un point lumineux captivant l'attention du voyageur nocturne jusqu'à l'induire en faux-sentier, elle obsédait Josaphat.

C'était une odeur d'amarres-cannes. D'abord suave comme aux premières coupes matinales, elle s'était précisée, piquante sous l'effet du soleil de midi. Josaphat se sentit soudain gagné par un malaise, une lassitude qui s'étendait à toutes les parties du corps et le faisait bâiller. Il vacilla. L'air se chargeait de bruits de paille piétinée, de feuilles qui glissaient dans un chuintement de cocotier et d'éclats de voix. Josaphat rouvrit les yeux. Son rythme cardiaque s'était accéléré. Sa poitrine en vibrait. Il ne savait s'il se réveillait d'un évanouissement ou d'un simple sommeil sous la bananeraie.

En tout cas, quelque malveillant aurait pu prendre l'avantage sur lui ; car l'homme surpris, battu.

Une quinte de toux réveilla une douleur poitrinaire en lui. Il se racla le fond de la gorge et cracha. Une bonne tisane "à-tous-maux" ferait l'affaire. S'appuyant sur un baliveau, il se redressa. Il se sentait faible. Il poursuivit la traversée de la bananeraie en direction de la rivière. Les odeurs de la cannaie qui lui étaient revenues, avaient ramené des images de la récolte. Son état présent d'abattement n'avait de comparable que celui exprimé par le visage exsangue des coupeurs de canne que le soleil de deux heures éclairait sur le chemin de la fontaine.

Les muletiers peinaient moins que les coupeurs. Il leur suffisait d'avoir une bonne bête et de n'être pas lambins pour, dès treize heures, gagner leur journée. On se levait tôt comme pour surprendre l'aurore rougissant comme une békée en robe de nuit, accrochant au hasard d'une fenêtre d'arrière-cour l'œil tout aussi explosé de surprise d'un garçon d'écurie. La mule auburn était la meilleure bête de l'Habitation. Elle savait se ranger près des piles-cannes, espérait sans broncher son chargement, et fonçait droit vers la gare. Elle pouvait prendre deux piles et demie ; même les arrimeurs sur les wagons étaient surpris de l'entrain de la bête :« Eh ! Josat, tu escamotes les cannes mon fi ! Tu n'es pas parti que tu es déjà revenu. » Et avec elle, il pouvait devancer Romain, le chef-muletier, de deux ou trois piles. Un homme coriace et bien élevé ce Romain ! Un tantinet libertin, mais pas blagueur pour un sou. Il n'était pas comme ces pauvres bougres vantards comme chiens, qui disent avoir réalisé ce dont ils n'ont fait que rêver. Quand il eut Mademoiselle Alice, Josaphat seul le sut. Ah, sacré Romain ! Un palefrenier qui couche avec la sœur du béké de l'Habitation Beaumont : c'est comme qui aurait vu un bouc sur l'échine d'une vache !

Ces choses n'habitent pas que les contes. Le grand-père de Romain tenait d'un vieil oncle qu'une femme békée avait été tuée sur cette Habitation par son mari, parce qu'elle était enceinte d'un Nègre. L'homme était un chaud lapin qui ne pouvait rester impassible devant une jeune Négresse. Il lui fallait la posséder. Et malheur au Nègre qui lui affichait sa jalousie ! Il le faisait fouetter jusqu'à ce qu'il rampe. Il avait des dizaines d'enfants bâtards qu'il envoyait avec leurs mères sur d'autres plantations. Il opérait la nuit, lorsque l'obscurité avait dissous toutes les formes naturelles du jour, et que l'Habitation dormait son harassement dans les relents de sudation moite, de purin, de bouse et canne coupée. Il prenait ses pistolets, sortait de chez lui, réveillait le contremaître et enfourchant leurs montures, ils se dirigeaient, escortés de deux chiens, vers les cases. Le silence était soudain déchiré par des grognements, des cris d'homme rudoyé, tancé et assommé.

Alors le maître renversait la Négresse sur la paillasse, lui arrachait ses hardes, la pénétrait, la mordait, la griffait jusqu'à l'épuisement. Puis à son tour, l'autre s'approchait de la femme, comme mâtin d'une écuelle de restes. Et le viol consommé, le galop repartait vers la villa coloniale, tandis que la terreur abandonnait les yeux et que l'angoisse desserrait son emprise sur les gorges, que les poitrines décompressées recouvraient leur souffle normal, que la femme au faîte de son cri maudissait son âme, sa mère, sa peau, sa chair meurtrie et avilie. Et le silence colmatait ses brèches jusqu'au lever du jour. Monsieur Saint-Louis ronflait à ce moment dans son lit comme s'il avait bu un baril de guildive. Il désertait sa femme, depuis que cette dernière avait perdu sa sérénité en perdant le seul enfant qu'ils eussent pu faire, et, s'était mise à consommer une partie de la production d'alcool de la vinaigrerie.

Elle errait sur tous les lieux de l'Habitation tard le matin dans une chemise de nuit diaphane, ce qui amusait fort les Négresses, et allumait des brasiers salaces dans l'imagination des mâles. Et, un après-midi, elle s'approcha du palefrenier qui à l'écurie bouchonnait un cheval. Un Nègre robuste et fort ; une de ces belles bêtes qui font la distinction du bois d'ébène et la fierté du possédant. Cela se passa tant et si bien sur la paille qu'elle se découvrit enceinte quelque temps après. Elle prenait force tisanes et décoctions abortives que les domestiques de la maison lui préparaient en cachette. Mais un matin, le mari entra à l'improviste dans la cuisine et trouva l'infusion qui fumait dans une tasse. La panique qui se lisait sur le visage de la cuisinière l'amena à la soumettre à la question : un Nègre qui sent le purin plus que l'écurie, une bête de somme qu'il avait acquise tout comme le cheval qu'il sellait chaque matin, avait couché avec sa femme !

Qu'elle ait pris amant parmi les hommes de la colonie, un de ces éphèbes-poètes de salon, beaux libertins et bonimenteurs qui aiment discourir sur les dernières nouvelles venant de Paris, le dernier roman, la pièce de théâtre à succès ou faire des considérations sur les gens de couleur libres, la franc-maçonnerie et les progrès du machinisme, l'affaire aurait tenu le pavé une semaine, le temps qu'un événement de plus grand intérêt lui ravît l'actualité.

Mais il s'agissait en l'espèce, d'un péché, un crime de lèse-majesté, un outrage à la loi réglementant les rapports entre Blancs et Nègres. Quelle autre folie s'était soudain emparée d'elle, sans qu'il ait eu le temps de s'en apercevoir ? Certes, il l'avait observée plus d'une fois, baissant les yeux quand il la dévisageait, se déplacer furtivement pour se dérober à son regard ! Cela ne pouvait-il pas s'expliquer par l'étrangeté de sa nature féminine ? A moins que ce Nègre, noir dans la peau et dans l'âme, n'ait déchaîné contre elle, un de ces esprits qu'ils ont ramenés d'Afrique et qui les rend parfois prodigieux. Ainsi ce Nègre de Guadeloupe qui faisait endurer les douleurs du fouet qu'il aurait dû éprouver, à la femme de son maître, et obtint grâce à ce pouvoir magique, que l'on ne battît plus aucun esclave de la plantation. Et ceux-là qui certains jours se mettaient à murmurer des paroles sourdes, indéchiffrables, comme s'ils jetaient un sort, une incantation monocorde qu'ils rythmaient en se tenant par la main, et en se balançant comme ballottés dans une cale qui tangue, puis qui, alignés dans une embarcation dessinée à même la terre battue de la case, disparaissaient sans que l'on sût ni comment ni par où ? Quoi qu'il en soit ce Nègre paierait cher son impertinence et sa témérité. Il devrait mourir avant que son forfait ne fût connu. Exécuté en secret et châtré. Et son corps serait haché comme boutures de cannes et les morceaux éparpillés aux quatre coins de l'Habitation serviraient de pâture aux mancefenils, manicous et mangoustes et les ossements blanchiraient au soleil. Ainsi s'il était puissant et maléfique, il ne pourrait pas, celui-là triompher de la mort et rejoindre le Congo ; car fiente d'oiseau et crotte de carnassier n'ont jamais servi à édifier un homme. Quant à cette femme sacrilège et putain, dont le vice crache à la face de la race et de la civilisation, elle ne pouvait expier son crime que dans la mort. Une mort qu'endosserait ce Nègre lascif et ténébreux. Pour ce qui était des autres pièces de la nègrerie, malheur à elles, si d'aventure, lui le maître se savait l'objet de leurs moqueries et plaisanteries qui mettaient gens et choses à la merci de la dérision nègre.

Il les musellerait ou leur crèverait les yeux s'il y entrevoyait quelque lueur de malice.

Josaphat secoua la tête et esquissa un sourire, il voulait chasser ces pensées idiotes qui s'apparentaient aux rêves tapissant son sommeil et qui, plaisants, lui laissaient au réveil, le goût amer du sevrage à l'aloès. Mais il y parvenait difficilement car son imagination lui faussait compagnie pour l'introduire dans un monde fantastique et bleu dont il redoutait la fin, car elle le ramenait toujours à lui-même, à la manière de ces rails qui disparaissaient sous l'herbe mais resurgissaient au grand air dans leur nudité rouillée et terriblement obsédante.

Quand il sortit de la bananeraie, son regard se porta sur l'immense étendue d'herbe-para qui poussait dans les terres en friches. Elle était si haute et inutile qu'elle fléchait comme canne.

Plus de râtelier à alimenter, plus de bœuf à faire paître dans les tracées maîtresses qui séparaient les plantations, Lépineux, Mahogany, Cachibou, Poirier. Elles étaient maintenant hérissées de barbelés qui les morcelaient en de multiples parcelles, aussi ridicules que les mouchoirs de terre entourant les cases de l'Habitation. Et la Lézarde qui les bordait, leur apportait humidité et fraîcheur qui bleuissaient l'herbe et rendaient les feuilles-lianes-douces, larges comme celles du giromin, et lactescentes comme des seins de primipares.

Le vieil indien s'engagea dans l'ancienne voie des trains à canne. Il devinait les rails se prolongeant en bordure du canal-moulin, jusqu'à l'endroit où ce dernier était éclusé pour alimenter l'ancienne sucrerie dont lui avait parlé sa grand-mère ainsi que l'abreuvoir du bétail de l'Habitation. A mesure qu'il avançait, Josaphat revoyait en pensée les arbres qui surplombaient le canal. C'étaient des pieds de pois-doux, de cotelette, de mapoux, deux arbres à pain et un manguier. Cette succession d'images composait une lisière d'un vert luisant. Elle sembla se figer, lorsque Josaphat eut la vision d'un énorme tamarinier dont l'épais feuillage filtrait les rayons solaires, et conférait à l'eau l'étrange aspect du marc de café.

Quelque oiseau, sur une branche de courbaril, a égrené un cri rauque avant de s'envoler vers des horizons balisés de roseaux. L'air est bruissement de cocotiers abritant quelques merles frileux comme bustes d'enfants fraîchement rentrés de la rivière. Soudain Josaphat plongea la main droite dans la poche de son pantalon. Il tressaillit en y découvrant un morceau de ficelle. Comme pour chasser une image de suicide qu'il associait au lieu où il se trouvait et au contenu de sa poche, il s'imagina dans la situation d'un père qui sermonnerait son fils, coupable de quelque bêtise, en même temps qu'il prolongerait sa remontrance par une histoire qui détendrait l'atmosphère et aplanirait toute tension entre eux. Mais qu'as-tu perdu de précieux pour scruter le sol et fouiller tes poches comme fosses d'ignames Saint-Martin ?

Et ce bout de ficelle, est-il d'assez bonne longueur pour te faire une balançoire à la manière de Jean-louis et Clavius ? Mais Jean-Louis et Clavius avaient une malédiction qu'ils tenaient des vaches sur lesquelles ils faisaient pousser des vers, et qui glissaient dans une décadence irréversible. Pour ainsi dire, les animaux en rendant l'âme, avaient fait vœu de les punir de façon exemplaire, de telle sorte qu'ils moururent dans l'opprobre, et que leur souvenir, dans la mémoire du quartier, porta la marque indélébile de leurs crimes. Et lui-même, Clavius, avait la manie de voler l'argent de son père pour aller ensuite le perdre au Pitt. Coq-game n'aime pas voleur pour maître. Et c'était sa sœur, belle jeune fille qui le lui procurait. Et le père, tout en maintenant sa femme au-dessus de tout soupçon, avait la ferme conviction que le coupable vivait sous son toit. Mais ni le climat de suspicion qui avait cloîtré chacun dans un mutisme hermétique, ni ses éclats de colère, ne purent dénouer ce mystère. Si bien qu'un matin clairet, il enfourcha son cheval et partit dans le vent frais pour le Morne Courbaril où habitait un quimboiseur, un nègre fort comme il n'y en a plus. Il recevait dans une pièce, à l'arrière de sa maison couverte en tôle. Le matin seulement. Après son travail il n'y avait pas à repasser la main. Quand Monsieur André atteignit le morne, il était six heures du matin. L'homme lui dit que sa visite n'était pas une surprise, qu'un tel travail était pénible à entreprendre, qu'il pouvait entraîner la mort et qu'il nécessitait même réflexion, que l'endeuillement planait sur la famille du demandeur, qui risquait de regretter sa démarche toute sa vie durant, qu'aucune réparation ne serait possible, une fois l'opération déclenchée, car la réussite était inexorable - qu'il lui conseillait de repartir afin de pondérer sa décision, qu'il allait éventuellement revenir le vendredi suivant à la même heure. Mais Monsieur André lui répondit d'une voix posée et déterminée, froide comme un fil de rasoir, que ce jeu durait depuis deux mois, que le voleur n'avait aucun égard pour sa famille ni pour lui-même qui, à son âge, se décarcassait toujours au travail, que passe encore une fois mais cinq fois de suite, qu'il voulait que cela cessât et, quant aux regrets, il les considérerait en leur temps.

Il y avait sur la face de Monsieur André une crispation impulsée par un mal qu'il s'efforçait par pudeur de camoufler comme si ses yeux se gonflaient telles deux retenues collinaires, et tourner la tête pour échapper à la compassion de l'interlocuteur était son seul recours, avant que le bouchon de l'angoisse ne cédât sous une cascade de sanglots, tandis que tout son corps serait agité d'une trémulation, qu'une sirène jaillirait de lui, signe que l'irréparable serait arrivé, le broyant dans sa petitesse, donnant à ses pleurs des syncopes de l'enfance et, qu'enfin, des bras le ceindraient et lui prodigueraient veines embrassades et réconfort, afin de calmer les clameurs du berceau.

Pour chasser toute affliction, il sortit de sa poche de derrière, un portefeuille en cuir usé et aux contours racornis, examina la liasse de billets dont il était gonflé, pensa à la génisse qu'il avait dû vendre, au profit qu'il aurait pu en tirer s'il l'avait laissée venir et procréer...

Et l'on voulait qu'il eût pitié de son malfaiteur ! « Foutéfé » — Vas-y, dit-il au quimboiseur. L'homme le dévisagea avec compassion puis l'invita à le suivre dans une pièce attenante, une petite chapelle avec un autel en ciment au sommet duquel rayonnaient : un crucifix, une Sainte Vierge ainsi qu'un Saint Michel en fer. Leur éclat provenait de la lumière prodiguée par de nombreuses lampes à huile brûlant sur le socle de l'autel et dont les flammes grésillaient au contact des insectes. Elles libéraient des langues de feu. Par à-coups, les silhouettes des figures protectrices s'agrandissaient, rappelant à Monsieur André la fresque de l'église communale qui représentait sur tout un pan interne de la façade principale, un Saint Michel terrassant dans les flammes, un démon noir et grimaçant. La lueur des bougies atténuait la pénombre du massif antérieur et dispensait aux faces sombres des fidèles le même éclairage qu'au visage hideux de l'ange déchu.

Monsieur André semblait détendu au point que le séancier se mit à redouter quelque manifestation de scepticisme chez son client. Il n'en fut rien.

Le souvenir de l'église s'était figé au pied de la fresque où une multitude d'ex-voto dédiés au combattant céleste par des âmes reconnaissantes, se trouvaient alignés sur la table du petit autel. Cela fit dire à l'homme rêveur que le plus intrépide des guerriers transhistoriques, quand bien même il crapahuterait de Marignan à Douaumont, aurait été incapable de récolter autant de décorations pour ses hauts faits d'armes.

Un grand cercle était tracé par terre. Il contenait des signes cabalistiques pareils à ceux qu'il entrevit un jeudi soir alors qu'il parcourait le Grand Albert qu'on lui avait prêté. Il n'avait pas respecté les recommandations d'usage avant d'entreprendre une telle lecture à dix heures du soir et, sentant le revers de sa dextre s'innerver comme au contact d'une main froide et osseuse, il avait refermé le grimoire, hébété.

Le quimboiseur revêtit un habit rouge et lui désigna une des deux chaises placées à l'intérieur de la circonférence. Puis jetant une poignée d'encens dans un brûloir, il commença une longue invocation à l'adresse des forces de l'enfer qu'il commandait de se tenir près du cercle sans chercher à y pénétrer ou à inquiéter de quelque façon ceux qui l'habitaient présentement, leur ordonnant de partir immédiatement en mission pour le grand bien de son vis-à-vis. Ensuite l'homme alluma un réchaud à pétrole, y plaça une marmite contenant une macération qu'il porta à ébullition. Lorsqu'il sortit un cœur de mouton d'un pot en terre, et le suspendit au-dessus du bain de vapeur, une odeur de rhum envahit la pièce. Monsieur André reconnut du rhum cœur de chauffe.

Alors le quimboiseur alla rejoindre son client et recommença sa conjuration de plus en plus forte et scandée si bien qu'il transpirait à grosses gouttes comme habité d'une transe, jusqu'au moment où, saisissant une grosse épine de sagoutier qui trempait dans une tasse à ses pieds, il l'enfonça dans le cœur, le perforant à trois reprises, ce qui fit tressaillir Monsieur André cloué à sa chaise et incapable de déterminer l'origine de cet état. Quand on le tira hors du cercle, il se sentit faible et léger comme quittant l'épicerie un samedi soir après la paye ou sortant d'une nuit de cauchemar avec juste quelques lambeaux du mauvais rêve qui laissent une amertume dont on cherche vainement la cause mais qui engendre la crainte du mauvais présage. L'homme le raccompagna jusqu'à sa monture, lui affirmant que déjà son malfaiteur était servi, sinon qu'il le serait avant deux jours et que passé ce délai, il devait quant à lui revenir le voir.

Acquiesçant d'un hochement de tête, Monsieur André enfourcha son cheval et partit en direction de l'Habitation Beaumont.

Un léger malaise, amené par le doute qui l'habitait, avait annulé toute satisfaction de la démarche qu'il venait d'entreprendre. C'était comme si cette vengeance ne lui procurait plus de contentement, car effectuée par quelqu'un d'autre qui lui prêtait main forte pour pallier son impuissance face à cet audacieux voleur. Il aurait préféré le surprendre et l'amputer d'un coup de coutelas ou le rendre boiteux à vie d'une bastonnade au bois garrot.

Perdu dans ses pensées, il ne réalisa pas à quel moment le cheval avait pu abolir cette distance qui le séparait de chez lui. Il sursauta quand, vers onze heures, à l'entrée de l'Habitation, Patchi vint à lui tout épouvanté et lui murmura la mort de sa fille aînée. Le cavalier n'entendit que le nom de sa fille, balbutia quelques sourdes paroles et vacilla.

On l'avait trouvée qui pendait au bout d'un madras à carreaux noirs et blancs attaché à une branche de tamarinier inclinée sur le canal, en un endroit obscurci par l'épais ombrage et l'enchevêtrement de lianes multiples. Il y transpirait une humidité suintant des roches argileuses de la terrasse — et les décomposant en une coulée rouilleuse qui salissait le bord de l'eau — juste là où les fleurs de mombin avaient crocheté une nappe blanche, immobile. Elle avait renvoyé le benjamin l'accompagnant, lui prendre, à la maison, un morceau de savon-Marseille qu'elle avait oublié à la cuisine, près d'une bassine, et il la trouva comme ça à son retour.

Une rumeur tel un aboiement sans cesse relayé et amplifié, avait parcouru l'Habitation et les quartiers environnants. Monsieur André trouva sa femme qui se vautrait par terre, aux pieds des voisines qui essayaient de la frotter avec des feuilles de corossol et de l'eau camphrée, alors qu'arrivait le géreur, son neveu suivi d'une bande de travailleurs qui détigeaient une bananeraie. Il serait difficile d'obtenir l'enterrement religieux pour la défunte, à moins que le béké n'intervînt auprès du curé, car elle s'était dépouillée de sa vie.

De ce fait, elle devait sans aucun soutien de l'Eglise, comparaître devant le tribunal du ciel, pour rendre compte de cette apostasie. Et le cortège quitterait doucement la maison mortuaire et se hâterait, tête baissée, de passer devant l'église pour se réfugier au cimetière. A moins de cacher au prêtre la cause du décès afin d'obtenir un enterrement de classe permettant à la morte de se présenter en tenue décente devant Dieu. Ce procédé avait réussi maintes fois. Depuis que les pendaisons commencèrent à diminuer pour n'être — ultime expression de virilité — qu'exclusivement réservées aux hommes, les femmes avaient découvert, quant à elles, l'usage suicidaire d'un produit importé se vendant dans le commerce pour dérouiller le linge, un liquide corrosif, pouvant constituer un cocktail avec du soda et que les gosiers habitués au rhum avalaient sec.

Depuis sa chute de cheval, Monsieur André se plaignait de maux de reins, s'appuyait sur un bâton de goyavier ; sa charpente, pareille à un bananier sans tuteur, trop lesté par son régime, se cassait de plus en plus vers l'avant. Son bakoua, devenu soudain trop large, vibrait quand il se déplaçait, masquant le haut du visage, ce qui lui permettait d'éviter le regard de ceux qui s'étonnaient de sa nouvelle habitude à fréquenter assidûment le bistrot matin, midi et soir en compagnie des Nègres les plus bas ; ceux qui ne méritaient pas le nom de Nègres, invétérés mouchards du géreur, capables de dénoncer leur mère sortant de la bananeraie avec une patte de ti-nains, et qui pouvaient te suivre de Grand-Rivière à Sainte-Anne, s'ils te voyaient partir de l'épicerie avec une bouteille de rhum.

Tous les soirs, Monsieur André rentrait en cendres chez lui, et sa femme, qui devenait poterie sous patte d'éléphant, faisait entendre sa sirène dans tout le quartier à la ronde. Ou bien, il se réveillait au beau milieu de la nuit, et interpellait sa défunte fille : « Que t'ai-je fait pour me voler mon argent ? Tu étais dans le besoin et tu n'as rien dit à ton papa ? C'est pour toi qu'il travaille aussi, ma fille !

Je me demandais quand tu m'aurais présenté quelqu'un qui puisse faire quelque chose pour toi, et te sortir de ce cercle maléfique, où l'on périclite sitôt surgi du ventre maternel, jusqu'à ce qu'on crie ton nom en veillée. Ce jour-là, c'est un veau que je tuerai et je dresserai des tables d'ici à Miquelon, je ferai venir camion de rhum et bateau de vin, et tant d'autres choses, qu'envieurs et convoiteurs étoufferont comme mâles pigeons dépités, et que marchandes-ragots-et-potins, à force de se retourner la langue, se l'étireront au risque de l'avaler à la manière de la jeune captive recluse dans l'univers nauséeux d'une cale négrière, ou de s'en faire une cravate pour leur ultime cérémonie.

Mais pourquoi es-tu partie ? Reviens chercher ton père, reviens ma fille, reviens ma salope ! » Et il projetait des salves de jurons et d'obscénités dont certaines syllabes restaient coincées au fond de sa gorge, lui coupant le souffle, tandis que les chiens enchaînaient par des hurlements à la mort qui faisaient tressaillir femmes et enfants que les hommes, noctambules du samedi, laissaient seuls et qui, la chevelure hérissée, se cachaient le visage au plus profond du lit et d'un silence qui rendait déserte la maison.

Et leur poitrine ne recouvrait son rythme que lorsque l'exaltation d'une queue frénétique entrecoupée de petits cris de joie comme une plainte lascive, annonçait des pas porteurs de sécurité, ceux qui ramenaient le maître de céans qui, pour conjurer toute interrogation au sujet de sa rentrée tardive, se mettait à tenir dans la nuit, juste devant la porte, des propos par lesquels il invitait un certain maraudeur visible ou invisible à réitérer en sa présence, la visite que durant son absence, il venait de faire à sa demeure ; ce quelqu'un qu'il connaissait bien, mais dont il préférait taire l'identité, assurant tous ceux qui l'écoutaient dans cette obscurité pailletée de cris comme des lucioles, qu'il saurait lui administrer le moment venu, une correction ineffable et inoubliable.

Dès lors la porte s'ouvrait et se refermait comme le silence entrebâillé par cette longue séquence de tumulte que le vent emportait. Alors, le voile des paupières enfantines se relâchait, et, la femme lourde de sommeil, se réfugiait sous le flanc de l'homme rentré frais et dispos — tel un coq-game gagnant sans souillure —, lequel l'entraînait vers les plages désertes de l'amour, où le bain est d'embrun et de brise marine parfumé de varech et sargasses, dispensatrices d'allégresse comme des fruits savoureux et charnus, volés dans le verger béké. Puis le sommeil les engouffrait dans un grand maëlstrom, territoire des monstres flagellants, de cataclysmes et carêmes affreux que conjurait l'aube, par le chant du coq déchirant le voile de la nuit et préparant le jaillissement, derrière le morne, des premières rougeurs de l'aurore.

Les oiseaux quittent les arbres, traînée de cris dans l'air clairet qu'ils boivent, et leur bec se dore de lumière. C'est le moment du jour où l'on achève les rêves et muselle les monstres de la veille, et où les bruits insolites de la nuit trouvent une clef, et les voix encore empreintes de sommeil ont la fraîcheur de source. Le bonjour est alors un vœu qui sourd de la brume comme une prière montant de la maison faiblement éclairée par un lumignon, une prière confuse et lancinante transmise par des bouches plaintives à des mémoires défaillantes, qui restituent une incantation grave et pesante de mots d'autant plus cabalistiques qu'estropiés. Quand le soleil se dressera sur le morne, en géreur sur sa monture, tout aura changé ; tu seras nu comme un anoli, ton derrière, sous ses projecteurs, comme celui de la biche et, tu devras, saisissant ton coutelas, te présenter près de la « paye », soldat au garde à vous du Onze Novembre, prendre la tâche qu'on te concède. Et tu auras de la veine, car si c'est ton mauvais jour (où tu as pilé la fiente de corbeau), le géreur peut passer devant toi et ignorer jusqu'à ton existence.

Alors, avec l'anxiété de l'enfant au partage du bonbon dominical, tu l'abordes : « Monsieur Auguste, tu m'as oublié ? ». Un moment pénible s'écoule. Tu l'interpelles de nouveau, et sans se retourner il te lance : « Adresse-toi à la croupe de mon cheval, elle te répondra. » Puis il s'éloigne te laissant là, cloué sur place. Une eau semble te monter de la poitrine, te sortir par les yeux, mais tu l'endigues en imprimant un rictus à ton visage, si profond qu'il impressionne ceux, qui comme toi, n'ont rien trouvé et qui se demandent si ta réaction sera à l'exemple des enfants qui, victimes de la violence aînée, montent en crescendo leurs pleurs et, à peine en ont-ils atteint le sommet, qu'ils attrapent tout objet qui leur tombe sous la main pour se venger.

Et tu t'en vas, sans desserrer les dents, la main crispée sur ton coutelas, tu examines la lame au fil de rasoir ; tu aurais pu équarrir le géreur sur son cheval, le réduire en darnes ; mais tu le laisses à la volonté de Dieu.

Josaphat se rendait compte que la nuit non plus ne lui appartenait pas. C'était le territoire des esprits malins qui n'attendaient de l'homme qu'une imprudence, afin de lui rompre le cou et lui coloniser l'âme.

Ils avaient établi leur quartier général aux quatre coins de l'Habitation et contrôlaient toutes les issues, du grand chemin aux abords de la rivière. La preuve en est que Clavius vit un soir, en plein champ labouré, une multitude de flammes de bougie qui fondirent toutes dans le noir, dès qu'il essaya de s'en approcher. Ils étaient d'ailleurs secondés par des hommes qui leur avaient prêté allégeance, et pouvaient se rendre invisibles afin de s'introduire auprès des jeunes travailleuses, qui les avaient fait frémir quand elles déversaient leurs cascades de rires, s'étiraient en exhibant leur poitrine ferme, ou s'accroupissaient en un froufrou de jupe trop empesée.

C'étaient aussi des gens aériens qui, survolant les cases, oubliaient parfois la flèche de bambou dressée sur le toit par le maître des lieux. Surpris, ils s'y heurtaient et poussaient des cris de chauve-souris blessée.

Ils comptaient parmi leurs épigones, des casés incapables de prendre l'envol mais qui affublés d'une gaule noire et d'un madras, s'en allaient frapper à la porte d'une des femmes occasionnellement esseulées.

Cette personne, plus soucieuse de se fixer quant à l'identité du visiteur nocturne que sur l'objet de sa visite, se voyait répondre qu'il s'agissait, en la circonstance, d'un dorlis en quête de sa commission. Et le silence était alors déchiré par un cri d'indignation qui agitait à son faîte, comme un pantin, le nom de l'apprenti-engagé.

Le plus jactant des travailleurs, dont la soumission au géreur restait sans bornes et sans récompense, devenait l'objet de toutes les plaisanteries ponctuant les longues heures de petite-bande, le lendemain. Il gardait ses désirs inassouvis comme une bosse sur le dos, maudissant ciel, diable et chef, ne sachant à quelle autorité recourir pour que se réalisent ses rêves d'ascension. Ainsi, les puissances des ténèbres faisaient-elles montre d'une exigence décourageante quant à la qualité des très nombreuses âmes que les humains étaient prêts à échanger contre une parcelle de pouvoir occulte, qui leur garantirait distinction et empire sur leur prochain. Qu'ils puissent se dépiauter, se métamorphoser en chat, chien, lapin, bouc, manicou, cercueil mobile, oiseau-soucougnan, en dorlis afin de terroriser le voisin dans un cauchemar, extorquer du plaisir à la femme endormie, ou égarer un voyageur attardé et ils leur seraient indéfectiblement liges.

Régner la nuit sur l'espace de la plantation, même si l'on se retrouvait dans la canne ou la banane le lendemain, lorsque le béké et son géreur auraient rétabli l'ordre journalier, procurait une volupté qui valait bien son pesant de damnation.

L'allégeance de certains travailleurs à l'égard du diable ne les rendait pas toujours aussi hideux que ce Casimir, le garde des plantations, le deuxième chien du géreur, celui à qui Franck avait ôté une main. C'est alors qu'il détachait une vache de son agresseur afin qu'elle partît en divagation à travers champs, qu'il fut surpris.

Il paraît que le sang de Casimir avait arrosé comme une giclée de désherbant le bord du chemin, si bien que l'herbe avait mis quelques mois à repousser.

C'était du sang-dragon. Un mauvais sujet, ce Casimir ; ses mains n'étaient pas propres, la senestre qu'il a conservée non plus.

Casimir détenait quelques vieux livres chez lui : un *Dragon rouge*, un *Dragon noir* qu'il avait subtilisés des affaires de Monsieur Paul à sa mort, puisque c'est lui qui l'avait entendu crier et l'avait trouvé raide mort comme un bout de bois de la savane de pétrification. On dit que Casimir avait délégué contre Monsieur Paul - qui n'était pas un sot -, une légion d'esprits maléfiques. Le vieil homme essaya de se défendre grâce notamment aux conjurations contenues dans ses livres mais, quand le chef de la délégation lui demanda le maître-mot, il eut une quinte de toux (il avait contracté une pneumonie un jour de tâche-canne au mois d'août) et bégaya. En un éclair, le grand maître des airs le foudroya, le laissant étendu sur la terre battue, le corps fripé, tout chaud, les yeux fixant les tuiles par où les esprits malins avaient emporté son âme. Car dans cette affaire toute hésitation est fatale ; si tu l'appelles, il faut savoir l'accueillir, lui parler et le commander. S'il se montre docile, c'est que tu es fort et décidé ; le Malin le sait qui te surveille et t'étudie.

Au moindre de tes faux pas, il cherche à retourner la situation à son avantage. C'est comme ce Cooli qui est allé sur la Table du Diable faire un travail : ne l'a-t-on pas retrouvé cadavre ? Ses testicules comportaient deux minuscules perforations comme faites avec une aiguille. En les voyant, le chef de la Gendarmerie n'eut pas de difficulté pour identifier le coupable. Mais comment l'arrêter ? On ne joue pas avec ce Monsieur. Pourtant si tu connais ses manières, il te sert en bon esclave. Il peut te livrer la cachette de trésors, t'apporter chaque nuit l'argent qui t'est nécessaire pour le lendemain. Pour cela il te faut un monstre que tu obtiens en réchauffant sous ton aisselle droite jusqu'à éclosion, un œuf pondu par une poule noire, un vendredi saint. Il y a maintes façons de gagner sa vie sans avoir à trimer sous les cannes du Béké et le mépris du géreur.

Ce ne sont pas les trésors qui manquent sur cette Habitation. Ce sont les esclaves enterrés près de la rivière, qui allaient cacher les trésors des maîtres avant que ceux-ci ne leur plantassent une lame dans le dos et ne les ensevelissent en même temps que leur fortune. Ainsi ils emportaient le secret doré sous terre et devenaient les gardiens intemporels de la fortune békée. Parfois, quand tu passes dans ces endroits, tu sens tes cheveux se dresser, ton corps qui change et se drape d'engourdissement.

Ce sont eux qui se manifestent à toi. Des fois ils entrent en communication avec un vivant. Le plus souvent, un de leurs descendants né sous une bonne étoile. Car pour quitter l'errance, leur âme a besoin de se décharger de cette responsabilité servile.

C'est ainsi que Man Rachelle, alors qu'elle était sexagénaire, avait été contactée par un Mort à propos d'un trésor se trouvant entre les trois pierres de son propre foyer. Elle n'avait qu'à écarter la cendre, gratter, et elle voyait une paire de couverts posés en croix sur une jarre remplie de pièces.

Quand elle se réveilla, la malheureuse avait une telle peur qu'elle s'empressa de livrer son secret à tous ses enfants, bravant l'interdiction que son bienfaiteur lui avait faite. Dans ces conditions le Mort interrompit toute communication et, à partir de ce jour-là, chaque après-midi, elle était tirée de la sieste qu'elle faisait sur le canapé en bois blanc construit par son premier mari, par la sensation d'une présence qu'elle localisait sans ciller, dans l'embrasure de la porte d'entrée, lorsque la lumière solaire se montrant soudain plus intense, en venait à inonder l'intérieur de la case et à en dissoudre sa pénombre habituelle, jusqu'à la jarre d'eau fraîche que recouvrait une planchette supportant une sauce-pan.

C'était une grande Négresse, effilée et sèche, vêtue d'une gaule noire, ceinte d'une écharpe blanche, coiffée d'un large bacoua qui masquait l'expression de ses yeux caves dont les orbites saillantes s'intégraient parfaitement à l'ossature du visage émacié et cendré qui semblait figer un rictus de ressentiment. Elle tenait d'une main un régime de bananes, et de l'autre, une grappe de fruits à pain qu'elle déposait avant de battre sa bénéficiaire contrariée comme lambi.

Cette image ravivait chez Man Rachelle, le souvenir de sa mère l'arrachant de son sommeil par les cheveux, et lui administrant une volée de ti-beaume, pour avoir appris que Gros Léon qui partageait son temps entre la canne, les jeux de cartes et de serbi, l'accompagnait sur le chemin du retour de la rivière, un après-midi de lessive. Et le réveil brutal s'effectuait dans un climat de terreur rendu par la sensation d'avoir la langue lourde et un bouchon dans la gorge qui l'empêchait de hurler sous les coups : « Oui anman, Non anman » comme jadis, lors des sévères réprimandes infligées par sa mère. La malheureuse n'eut de cesse qu'à sa mort. On dit que son second mari démancha sa houe au beau milieu du pont de la Lézarde et, qu'il lança fer et manche par-dessus bord, puis, brandissant son coutelas qui en plein hivernage, lui avait fendu le gros orteil droit, jura de ne plus travailler pour un Béké le restant de sa vie. Et il tint son serment jusqu'au jour où on le trouva criant qu'on le fouettait avec une liane d'acacias, que des bœufs le poursuivaient dans sa maison même. Il se retournait brusquement, tendait ses mains comme pour parer une rossée. Il était tombé dans l'enfance pour être passé des mains du Béké à celles du diable, et ne cessait d'interpeller sa maman enfouie sous terre depuis belle lurette, l'exhortant à venir le délivrer de cette vie.

Ces moments de désespoir, alourdis par les borborygmes alcoolisés de l'homme, causaient un profond émoi à Man Rachelle qui redoutait que feu sa belle-mère ne répondît aux appels pathétiques de l'homme.

Il finit un beau jour à Colson où sa raison abandonna son corps comme un colibri s'émancipe du nid maternel.

Il alla à la fenêtre de sa chambre, leva les yeux vers le ciel, esquissa un demi-sourire, secoua la tête et s'écria : « Je savais que tu m'aurais laissé, tu es la deuxième femme qui me quitte comme ça ; mais je me demande ce que tu vas chercher sur les pitons, toi qui voles comme manfenil au-desssus des nuages si bien que le vent ne t'arrête pas, tu files et planes comme si tu me narguais fière de t'être enfuie alors que j'ouvrais ma fenêtre juste pour cueillir un rayon de soleil et allumer un peu de feu dans ma maison afin de cuire deux carreaux de fruit à pain ; l'infirmière m'a dit que je pouvais manger des légumes, car je ne présente pas de cas d'opération et, au lieu de venir m'aider à l'épluchage, tu planes là-haut comme si tu n'as rien à faire, comme si ce ciel bleu c'est ta maison, que ces oreillers viennent de ton trousseau ; et ton corps nu dans ce drap carmin tout chaud comme une pierre au soleil qui le contemple et le hume, le pourlèche, suave et sucré, sapotille satinée ; et ta bouche comme un mangot-bassignac ;

J'ai soif, prête-moi un peu de calebasse, laisse-moi m'allonger au bord de ta source tapissée de mousse, l'eau y est cristal ;

J'ai froid par cette nuit pluvieuse, laisse-moi entrer dans ta maison, je suis gentil et ne fais pas pipi au lit ; le vent tourbillonne ici et pas une feuille ne peut faire la sieste et tu te promènes là-haut comme si aujourd'hui c'était demain pour toi, tu n'as donc peur de rien, petite insouciante va ! Tu es là qui me fixes dans les yeux, impassibilité de soleil, ne vois-tu pas qu'on me maltraite ici, me volant mes affaires, me privant de manger, que les grands me battent et que les petits s'amusent à mes dépens ? »

Parfois Madame André entrait dans une mauvaise humeur qui durait comme le carême sur l'Habitation. Les premiers à en pâtir étaient ses enfants qui osaient déplorer sa négligence à traîner durant toute la matinée dans une robe de nuit, ou, sa nouvelle manie d'uriner debout dans un angle de la cuisine en terre battue. Et sa colère fusait à perte de vue, faisant tressaillir celui qui par inadvertance avait déchaîné ses foudres. Elle traitait alors ses filles de putains qui se faisaient étendre sur la paille sèche des bananeraies bordant les cases des travailleurs, et invoquait en la circonstance, la mémoire de leur père défunt qui n'aurait pas manqué de leur administrer de terribles coups de pied au cul si le bon Dieu ne l'avait pas appelé trop tôt. Pourtant, il arrivait certains soirs qu'il vînt s'inquiéter de son sort avec cette trolée d'enfants qui bien que majeurs, demeuraient auprès d'elle dans cette case de deux pièces où elle les avait conçus et enfantés toutes et tous.

Elle entendait le bruit sourd des sabots du cheval auburn qui se rapprochait de la case. Et ouvrant les yeux, elle le découvrait vêtu tout de lin blanc qui se tenait debout à côté du lit ; lui souriant, il se mettait à converser avec elle doucement comme avec une malade. De temps en temps, il élevait un peu le ton pour lui faire remarquer qu'elle avait grossi. Elle lui rappelait alors combien elle se sentait seule, davantage encore que durant la période où il était allé vivre avec Josette.

Et cette séparation lui broyait tout le corps entre les rôles du chagrin, et ses yeux étaient deux sources s'épanchant sur l'oreiller, deux vannes ouvertes, comme sa veine péronière, tranchée par le coup de coutelas qu'il lui avait malencontreusement asséné au lieu du plat. Et elle se réveillait éprouvant le goût amer de son absence, retrouvant sa solitude affligeante, dans cette nuit chaude et poisseuse où le sommeil tarderait à revenir sur cet oreiller humide, pour la transporter aux confins de ce monde où tout est délivrance et paix, sans qu'elle eût à connaître la mort que l'on pleure et qui tourmente.

Au lever du jour, elle manifestait tout haut à soi-même, l'intention d'aller au bourg s'acheter des vêtements afin de partir en voyage. Puis affublée de vieilleries qui dormaient au fond d'une malle embaumée de naphtaline, - une robe de batiste mauve, une réticule, un parapluie auquel il manquait quelques baleines, - parfumée et fardée, elle quittait sa case au grand émoi de ses filles qui essayaient de la raisonner mais qui battaient vite en retraite devant la contrariété qu'elles provoquaient et qui la transformait en furie épouvantable.

Mais en passant devant la maison de sa sœur, elle était arraisonnée et interrogée sur le déplacement qu'elle effectuait. Alors elle s'arrêtait, interloquée par l'audace de l'indiscrète d'autant plus grande que cette personne avait osé penser que son mari n'apprécierait pas sa mise et son exubérance. Dès ce moment elle était emportée dans un élan de récrimination qui se manifestait par des vociférations, tête et bras levés, elle prenait Dieu à témoin du tourment qu'on lui faisait subir, ceux-là mêmes qui affichaient la prétention de connaître les appréciations que son mari pouvait porter sur elle en telle ou telle situation, si bien qu'elle se demandait s'ils n'avaient pas à son insu, été engagés comme chandeliers lorsqu'il la prenait. Et cette envolée de diatribes se faisait dans une excrétion de postillons et de morve qui rappelait le visage pleureur de l'enfant de deux ans réclamant sa mère partie aux champs. Elle oubliait alors sa colère qui, du moins, se muait en un chant improvisé où elle stigmatisait tout ce qui l'ennuyait, hommes, femmes, enfants, sœurs, à qui elle attribuait la cause de sa misère ; un chant qui s'éteignait petit à petit comme la lumière d'une lampe en panne sèche.

Elle esquissait quelques pas de danse, relevant légèrement le bord de robe, improvisant et brodant, autour d'un vieil air, « Vini oué coolie à... », que l'on pouvait à peine distinguer d'une chaîne de sons monocordes s'échappant difficilement d'une gorge angoissée.

Elle pouvait aussi s'asseoir au soleil, sur une pierre à lessive, sans bacoua ni madras, transpirant comme un touffé de bananes ti-nains, les mains sous la mâchoire, les yeux perdus dans une rêverie infinie sans qu'on eût pu dire si ses cils bougeaient de temps en temps ou si la conscience y avait marqué une pause, tant son allure s'était figée dans un immobilisme inquiétant qui rappelait vraiment ces deux ouvriers foudroyés un jour d'orage sous un manguier en bordure de la grand-route l'un blotti contre l'autre et leurs outils plantés dans le sol à quelques mètres devant eux, et leurs yeux vitreux comme des billes et leur silhouette comme des statues d'église. Et en quelques secondes c'en était fini d'eux. La mort avait fait irruption comme chien dans un jeu de quilles, et on crierait leur nom en veille cette nuit humide et boueuse où la lueur pâlotte des bougies et des flambeaux servirait à éclairer la consternation de l'assistance et la douleur des familles ; il faudrait toute une distillerie pour évacuer l'affliction qui avait recouvert tous ces gens de l'Habitation et ceux des quartiers avoisinants y compris le Béké ainsi que son géreur, celui-là même qui blâma les défunts pour s'être trouvés sous ce manguier de l'autre côté de la route, à trois mètres de la bananeraie où ils étaient censés travailler.

On ne les payait pas pour aller s'abriter d'un orage diluvien, et s'il lui était arrivé de les surprendre avant la foudre, pour sûr qu'il leur aurait amputé la journée d'une retenue correspondant à la durée de l'intempérie.

Pour Monsieur Robert, le conteur, il était hors de question ce soir-là d'inviter à un divertissement dont la partie essentielle serait faite de libations et d'affliction. Il fallait sortir d'une tout autre façon du cercle de la mort aussi implacable que celui où les hommes malins se livraient à une négociation serrée, une partie de serbi avec le diable. Il maintiendrait la parole du conte sur l'Habitation, là où étaient nées ces deux victimes ainsi que la plupart d'entre eux qui leur rendaient un hommage, non pas le dernier - car en toute occasion il serait possible d'évoquer en toute sérénité, ces fils aimants, ces bons maris et pères, - ils n'auraient pas la mauvaise idée de venir tirer les pieds d'un dormeur, bien au contraire ils étaient des pourvoyeurs en espérance. Car ils en avaient besoin, ceux qui toute leur vie durant trimaient sur l'Habitation et dont l'existence était champ de cannes sous le coutelas du temps et de celui qui comme la mer projette capture de bras et d'âmes.

Seule lui importait la mise en mots des événements, des hommes, des bêtes et des plantes. Il voulait les célébrer par une forme narrative qui s'intégrerait au réseau filandreux des récits universels et qui captiverait son auditoire dont les yeux exprimaient à son égard, la satisfaction joviale procurée par un merveilleux numéro de jonglerie ; comme si ces hommes, femmes et enfants lui enviaient son aisance à jouer avec les mots dont ils redoutaient le poids de silence lorsque, Nègres, Chabins, Indiens, échappés-coolis, ils communiquaient entre eux ou avec le Béké, dans un créole qui semblait par moments encroûté d'une membrane qu'évoquerait le muguet qui, sous la langue du coq malingre lui modifiait le cri et l'appétit.

C'était comme si l'ineffable doublure des mots hantait la parole à la manière d'un revenant, ou bien, du vieux sang mort enflant depuis toujours la jambe gauche de Patchi. Il s'agissait pour lui non pas de nommer les choses ou les êtres mais d'en sonder la riche intériorité aux nuances ténues et complexes, et de ramifier leurs histoires personnelles dans la mémoire du pays.

Il lui vint de penser aux nombreux jeux de mots qui ponctuaient les contes et les conversations mais en outre, apportaient un regain aux rigolades qui s'épuisaient vite en potins et taquineries. Ils se construisaient généralement autour du sexe qui une fois adulte était enrobé de périphases et de métaphores servant selon lui à l'apprivoiser. Et il eut le sourire en revoyant la gêne des hommes et des femmes à employer certains verbes comme couper, mettre, prendre, sauter, coucher, faire, comme si la charge sexuelle dont ces mots étaient porteurs en altérait tout autre sens et s'imposait pareille à la symbolique des fleurs, fruits et légumes tels les bonbons de jeunes filles, les sensitives, les cordes à violon efflorescentes, les bananes cornes, les cannes à sucre - cette dernière image l'entraînait jusqu'à l'usine où le sirop-batterie servait à exprimer le plaisir sexuel dont le caractère ineffable était rendu par l'image hyperbolique du sac de sucre fondant dans une cuillerée d'eau. Comme si, dans le corps du travailleur expurgé de sa sueur dès l'instant où il pouvait, gracile enfant, se plier sous une calebasse d'eau, jusqu'à ce qu'il claudiquât vers le cercueil, le désir empêché se condensait en mots dont le sens enflait comme des ventres et des nuages.

Mais il n'osait pas déployer une métaphore mettant mal à l'aise le géreur qui aurait reconnu le profil de son patron sous la langue du conteur preste comme une lame-gillette.

Il invita l'assemblée à répondre : ceux qui venus des quartiers avoisinants se tenaient assis au premier rang, les femmes, les enfants et les vieillards de l'Habitation au second rang ; et debout et hilares au fond de l'assistance, les travailleurs. Oui il les interrogerait tous, eux qui traînaient une vie pareille à un sac de guano sur le dos. Il évoquerait jusqu'aux oiseaux, les colibris au plumage nacré qui frétillaient d'allégresse devant les pompons-soldats et les jeunes régimes de bananes derrière lesquels s'embusquaient les enfants. Mais quel plaisir de bouche pouvait procurer si minuscule gibier que l'on tenait pour sacré et dont la capture si aléatoire faisait penser au fabuleux oiseau-lyre ? Sa chair ne souffrirait pas une grillade-souscaye à l'instar du merle que l'on chassait de façons multiples, à commencer par la tapette pour rats posée sur la table de vaisselle, en passant par l'usage des lance-pierres qui ouvrait la quête des vieilles chaussures, choses rares quand les pied évoluaient dans le dénuement du chienfer ; depuis qu'ils surent descendre du lit jusqu'à ce que définitivement joints, ils l'eussent regagné.

Seules étaient garanties les bastonnades pour avoir trop traîné dans cette chasse, trop lambiné sous le grand courbaril à l'affût d'un rouge-gorge identifié à son sifflement, suivi trop longtemps l'envol-ricochet au cayali dont la solennité subjugue quand il pêche délicatement juché sur ses échasses jaune-mandia, et que l'on pouvait, par un cri strident, faire basculer de sa posture de harponneur concentré sur sa proie.

C'était pourtant un gibier de mauvais choix à cause de sa trop forte odeur de poisson comparable à celle laissée dans les herbes, par le bout de liane, cette anguille des bois dont le nom inspirait effroi. Car l'évocation du serpent s'accompagnait d'une chaîne de récits renvoyant aux temps anciens où l'on disait que la bête - pour ne pas la nommer -, était si répandue, qu'elle prenait son lait à même les mamelles des vaches, et qu'on en rencontrait qui faisaient des clapotis au fond du bidon que le vacher avait oublié de boucher, avant de conduire les animaux à l'abreuvoir ; même qu'il était conseillé de ne point se départir d'un roseau avec lequel rompre l'échine du reptile n'était que jeu d'enfant, et, que l'on traînait la nuit sur la route, afin d'impressionner la gent rampante qui glissait rapidement dans les touffes d'herbes limitrophes. Mais plus grave était l'époque où les cases avaient un toit en paille-canne et des murs en lattes de bambou rembourées de bouses : les femmes allongées sur leurs haillons aux senteurs d'urine et de vomissure lactée, après de longues toises de labeur, recevaient la visite d'un serpent qui empruntait le tunnel que crabes ou rats avaient creusé sous la palissade et grimpait à l'un des poteaux de bambou comme un habile à un mât de cocagne, et, malheur au nourrisson qui se réveillait en sursaut, et, gare à la mère trop émotive poussant un hurlement car la bête mordait et s'éclipsait en visiteur nyctalope craignant l'imminence de l'aube.

Un ridicule fagotin sur la tête, vous étiez rentré trop tard pour que le coco-nègre de fruit à pain salé au museau de porc, fût cuit à temps. La cloche du bourg avait déjà sonné midi, et femmes loqueteuses et hommes portant leur coutelas plat posé sur la nuque tel un joug, se rapprochaient de leurs cases.

Vous saviez que leur retour aux champs était fixé à treize heures et vous jouiez au lieu d'apprêtez le déjeuner. Pourtant vous n'avez plus six ans, vous ne respectez pas le principe de la division du travail. Auriez-vous souhaité vous trouver en sarclage de canne ? Votre insouciance à l'égard de ceux qui vous ont mis sur terre était injurieuse et vous sauriez que, jusqu'à ce que votre jet de pissat trouât le sol comme un groin écumant et, que vous puissiez vous nourrir vous-même, les ordres devraient être exécutés à la lettre. Autrement, vous vous placiez en état de dissidence caractérisée, il y aurait lieu de vous secouer comme hardes-cabane pour extirper cette tendance pernicieuse à traîner dans l'enfance - attitude qui n'était pas de nature à vous faire le craché de votre père ; par cette sorte de rictus, cette arrogance de taurillon, insinuiez-vous que les grandes personnes ne vous intimident pas, peut-être aussi parce que vous prenez pli sur les jeunes se rassemblant près de la fontaine pour donner libre cours à leurs polissonneries ? ce sifflement que vous faites entendre à longueur de journée comme si vous étiez un sucrier : peut-être avez-vous trop de souffle ? Dans ce cas, vous irez entretenir les plantations d'igname et de choux de Chine. Ce devoir non fait est indubitablement une contestation du statut paternel que même l'épouse - votre mère - reconnaît sans la moindre réserve, car elle sait qu'il lui en cuirait, passe encore le géreur ou le commandeur mais, vous, l'enfant que l'on nourrit autant qu'un bœuf au piquet. Et ce rameau de goyavier encore trop frêle pour cercler une nasse de rivière, vous arracherait des cris dispersant à tire-d'aile, comme un vol d'oiseaux épouvantés, votre fantaisie d'enfant réticent à se mettre dans le pas de l'adulte.

Josaphat secoua la tête comme s'il se dégageait d'une immersion. Le flot de souvenirs d'enfance avait submergé le lit de la parole du conteur qu'il évoquait. C'était comme s'il lui avait emprunté son souffle pour dérouler sa propre histoire, pendant longtemps enfouie au fond de lui-même, et éparpillée dans celle de l'Habitation.

Parfois une lourdeur l'envahissait jusqu'à l'engourdissement de tout son corps. Elle s'attardait pendant un long moment au niveau de la nuque, à l'endroit où il recevait habituellement les claques de son père, pour avoir mal attaché la brebis noire qui avait brouté quelques feuilles de patates lactescentes, pâturage de premier choix, ou pour s'être laissé traîner jusqu'aux plantations de choux de Chine par le gros bélier dont la corde empreinte de bouses humides, lui imprégnait les mains d'une odeur si tenace, qu'il ne parvenait pas à s'en départir, même après s'être décrotté dans un bain d'oranges sures et de feuilles de pavéca.

C'est pour cela qu'il vit ses camarades de l'Habitation coupler son nom au mot mouton, par moments de sarcasmes où ils exhibaient ce qu'ils considéraient comme laideur de l'autre, marquant implicitement entre eux une sorte de distance d'écart sur le modèle des grandes personnes.

N'était-ce pas cet écart de plusieurs toises que Justin, pourtant issu de la même enfance que lui, avait installé, et maintenu entre eux dès qu'il troqua son bacoua d'ouvrier agricole contre le casque de commandeur, avant d'accéder au grade de géreur, il y a de cela bien longtemps ?

Cette même exclusion qu'il éprouvait lorsque éclatait une altercation entre un travailleur noir et un

Indien, et que ce dernier était traité de « sacré cooli-manger-chien » par l'autre. Cette insulte avait en lui le retentissement des détonations qui brisaient la tiède quiétude crépusculaire, les fois où une bête rompait sa corde, et apparaissait aux abords de la maison du Béké qui l'étendait, fumante encore dans une mare de sang, absorbée peu à peu par une croûte de poussière aux commissures écumantes, semblable à une cour en terre ayant bu une averse. L'inquiétude parcourait les rangées de cases où chacun s'assurait auprès des enfants que le bélier, la brebis pleine ou le vérat attaché aux abords du canal-moulin se trouvaient encore assujettis au piquet du matin. Alors l'on apprit soudain, ramenée par le vent de terre, la nouvelle. Il s'agissait d'une truie appartenant à Suzanne, mère de six enfants dont la déveine était de tomber sur des commandeurs saisonniers travaillant dans la plantation durant la récolte cannière, et qui disparaissaient après, étant planteurs vivriers au Gros-Morne.

Ils y retournaient s'occuper de leurs champs d'ignames toutes-appellations, de choux et patates douces s'étendant d'ici à la Barbade.

De sorte que l'on pouvait passer commande auprès d'eux, de n'importe quelle variété de plants ou de légumes, en n'importe quelle saison et être sûr d'obtenir satisfaction.

D'ailleurs il en avait toujours été ainsi, et même à l'époque de l'amiral Robert, lorsqu'un destroyer avait été ancré au travers de l'horizon et que les ânes bâtés, en file indienne de wagons, sillonnaient les routes depuis Bois-Lézard jusqu'à Trois-Rivières.

Et la dernière à en être avertie, Suzanne, qui coulait un canari de riz, sortit de sa cuisine en terre battue, le visage assombri - on eût dit d'un coup de sang - grimaçant un peu pour ne pas aider qui aimerait savoir, si l'humidité de ses yeux était due à ce nouveau malheur qui la frappait ou à l'épaisse fumée que dégageait la combustion d'un bout de campêche de nodosité coriace et de verdeur tenace.

Il revit la mare fraisée par la G.M.C. de Farnélius en patinant, fraisée juste en contre-bas de l'épicerie qui y déversait ses déjections, entretenant ainsi une eau tiède et limoneuse, abritant, au milieu des touffes d'herbes-couteau, une colonie de crapauds. Ils servaient d'amusement aux travailleurs ivres qui y chaviraient, ayant eu à peine le temps de réaliser la défection de leurs jambes sous le poids de leur corps. Ils attrapaient un crapaud et le montraient ostensiblement à la femme du géreur qui faisait une moue de dégoût puis, ils mettaient un mégot entre les lèvres du batracien avant de le déposer sur la terre ferme, comme pour en appeler à l'hilarité du géreur qui secouait la tête en signe de condescendance et esquissait un rictus à l'égard de ces hommes qui avaient glissé dans la déchéance et constituaient les spectres de l'Habitation : ceux que personne ne désignait par Missié et dont le sobriquet constituait la seule identité. Ils devenaient au fur et à mesure qu'ils vieillissaient, objets de dérision et de commisération, se contentaient de quelques bouchées de nourriture qu'occasionnellement ils obtenaient des maîtresses de maison à qui ils rendaient de menus services à la manière de petits commissionnaires ou de domestiques pour pauvres.

C'était comme s'il était atteint d'une sorte de décrépitude interne qui ne tarderait pas à gagner son être tout entier, ses jambes lourdes comme des ignames, ses reins douloureux, ses doigts secs et crochus qui parvenaient non sans peine à lui fermer la braguette ; enfin son esprit qui le quitterait comme un éther.

La brise qui descendait du morne apportait des odeurs de terre labourée et d'ananas que Josaphat huma intensément. Il aimait la fraîcheur qui se dégageait de la terre que l'on travaille tôt le matin, lorsque la rosée ne s'est pas encore évaporée. Il se rappelait ces silex qu'il trouvait dans la terre lors des coups de main que son père organisait jusqu'à trois heures de l'après-midi à l'aide de Messieurs Jules et Maximin pour cultiver l'ongle de terre séparant la case de son père de la cannaie Acajou.

Josaphat était tenu quant à lui de rester avec les travailleurs pendant toute la journée, pour les ravitailler en rhum et en eau, mais aussi pour entasser les herbes et les racines qui ne pouvaient être enterrées et qui brûlées, fournissaient une cendre précieuse à la culture des concombres. Assis au pied d'un épineux, il respirait l'odeur de terre fraîchement émottée, en observant ces pierres ovoïdes et grises toujours froides comme s'il venait de les tirer du sol. Assurément il aurait fait mouche en les utilisant dans sa fronde pour abattre un merle, une grive ou même un pipirite. Il s'étonnait de leur similitude, se demandant même si elles étaient naturelles ou bien façonnées par un homme qui avait habité ce lieu à une époque ancienne, si ancienne qu'aucune mémoire du quartier n'en gardait trace. Il y avait un passé de cette Habitation qui lui échappait, il savait que le trigonocéphale ne se rencontrait pas dans certaines régions parce que les Caraïbes les chassaient une fois pour toute de leur espace d'établissement, si bien qu'il épilogua pendant longtemps sur les pouvoirs magiques de ces hommes qui étaient parvenus à se débarrasser de la présence de la congue des bois comme on conjure un mauvais esprit.

Il se rappelait aussi les pipes en chaux qu'il trouvait aux alentours de la case familiale, lorsqu'à la manière des adultes, il cultivait son jardin ; quelques pieds de choux de Chine, deux petites fosses d'ignames creusées à l'aide d'un morceau de fourche rouillée, des tonnelles de maïs qui ne donnaient, au moment de leur récolte, que des légumes rabougris et nains, en comparaison de ceux de son père. Il les portait à sa bouche, sentait le tube froid lui coller à la lèvre inférieure comme un mégot de gros tabac, et se mettait à penser au plaisir de feu le propriétaire de cet objet, faute de ne pouvoir se représenter fidèlement son portrait physique, car il craignait de contrarier cet ancêtre fumeur. De même, ces morceaux de vases et chaudières en terre cuite que la fourche du jardinier remontait à la surface et qui certainement n'avaient appartenu à aucun moment de leur existence, aux habitants du quartier, à aucune des familles des travailleurs, ni à leurs aïeux ni à celle du Béké.

Il regardait ces menus objets qui constituaient les traces muettes de cette vie désuète inexorablement rejetée de l'autre côté du temps, non dans un vide, mais dans une zone jugée inutile comme une jachère dédaignée.

Pourtant les Morts ne se taisaient pas même si les vers leur emplissaient la bouche ou que leurs os blanchissaient dans les fosses. Ils revenaient et, d'une façon ou d'une autre, se manifestaient à leurs proches. A la lisière des roseaux en bordure de la Lézarde près de l'escarpe, là où Jean-François cultivait son jardin, n'y avait-il pas un cimetière d'esclaves qui selon défunt Papa Abo - son grand-père -, a été jadis recouvert lors des nombreuses crues d'août et de septembre ? Il n'est pas surprenant que les aboiements des chiens partent généralement du fond de la plantation juste de cet endroit, et, qu'ils s'amplifient au fur et à mesure qu'ils se rapprochent des cases des travailleurs de l'Habitation, sans pour cela qu'ils couvrent cette voix d'enfant qui se lamente dans la nuit comme si elle appelait père et mère ou si au contraire ces derniers l'avaient envoyé aux commissions à pareille heure, exprès pour tester sa bravoure ou le guérir de sa couardise.

Et ce vacarme animalier qui terrorisait tout le quartier chaque premier et chaque troisième vendredi de la récolte, faisait se dresser les cheveux à bien des travailleurs célibataires. Gabélius par exemple qui au premier aboiement s'écriait : « bête la ivé », et il était parcouru de frissons qui lui donnaient la chair de poule. Il savait qu'à un moment de la nuit, qu'il eût barricadé ou pas sa maison, ou dit ses prières, il verrait une sorte de flamme glisser sous sa porte, la lampe s'éteindre et sentirait une main sèche lui tenailler la gorge jusqu'à ce qu'il crût rendre l'âme ; quand ce n'était pas une férule-balata qui s'abattait sur son dos sans qu'il eût pu bouger le petit doigt. C'est que dans ces cas il se sentait paralysé, et assistait impuissant au sort qui lui était fait. Un peu en l'attitude du mouton de baptême ou de première communion dont la résignation à mourir l'avait toujours impressionné, l'amenant à se demander même, s'il ne connaissait pas une certaine volupté avant que ses yeux ne se figeassent dans une expression vitreuse.

D'autres fois, c'était juste sous la fenêtre de la chambre sur laquelle donnait son lit, qu'il entendait les pleurs d'un nourrisson ; et il savait le danger qu'il encourait s'il se hasardait à ouvrir ou à regarder par une fente frayée par les termites. Alors, il fermait les yeux, enfouissait la tête sous la couverture en sac de froment même s'il devait suer comme canari de châtaignes avant que le sommeil ne l'emportât vers un monde plus serein. De même, il parlait de ce va-et-vient sur la grand-route, du camion du Diable dont le ronflement du moteur lui parvenait ; et sa défunte mère lui en avait déjà parlé - il était énorme, avec un capot en forme de tête de vérat, et l'on n'y voyait personne, ni chauffeur, ni matelot. Le véhicule arrivait à la croisée et redescendait vers le pont de l'usine, ralentissait près du figuier-maudit et du fromager qui se trouvaient de part et d'autre de la route, afin que montent et débarquent les diables qui sortaient et pénétraient dans les arbres, à la manière d'un défilé de fourmis tel qu'il l'observait, allongé sous le manguier certains après-midi de carême.

Ce camion, il l'assimilait à celui que conduisait Farnélius et qui était noir comme caca diable ; tout comme Farnélius lui-même, qui avait le visage osseux, des orbites de bourrique et dont la bouche ressemblait à un antre si obscur qu'on apercevait sa langue reposant sur quelques chicots kaki - derniers vestiges d'une denture - telle une épave enfouie et visible de la perspective d'un promontoire, par marée basse et par jour de grande clarté.

Et ses joues semblables à celles d'un vieux trompettiste se gonflaient démesurément lorsqu'il avalait un morceau de pain gros comme un poing de boxeur. Cela attestait la capacité de cette bouche à engloutir d'un trait un carreau de fruit à pain.

Josaphat songea d'abord à cet énorme poisson qui avait avalé le petit garçon qui se promenait seul sur la plage, ainsi que sa mère le lui racontait, le soir vers six heures, après qu'elle eut allumé la lampe à pétrole au verre cassé depuis des lustres. Puis lui vint l'image fantasque de la manman dlo qui vivait au fond de la rivière dans les bassins ombragés, où seuls pourraient se baigner sans crainte, les hommes et les jeunes travaillant déjà. Car cette créature s'attaquait surtout aux enfants qui, faisant fi des mises en garde maternelles, se hasardaient en ces lieux aquatiques.

Et un soir, il rêva que Monsieur François qui pêchait à la nasse, le sauvait de la manman dlo.

L'homme avait grimpé dans un pied de pois doux qui surplombait la rivière et en tapissait le lit de feuilles et, plongeant sur la mauvaise créature lui avait enfoui dans le corps un manche de houe transformé en pieu. A l'enfant hébété, l'arme était apparue rouge. C'est alors qu'il aperçut sa mère souriante aux côtés de son sauveur, qui dans une main tenait ostensiblement une grappe de poissons et, de l'autre, exhibait le pieu. La présence de sa mère avait atténué en lui, l'expression de la gratitude, et refréné l'admiration que lui inspirait l'homme.

Traversant le corps du rêve, cette contrariété demeurait présente sur les lèvres du réveil, amère.

Maintenant ces choses lui semblaient familières, intimes. Il les retrouvait comme si elles ressortaient soudain de l'oubli et s'imposaient à son attention.

Il les revoyait entièrement à découvert, sans cette couche de rouille, de vermoulu, de lianes, d'ortie, cette touffe d'arbustes qui les dissimulaient depuis que l'activité agricole avait périclité et qu'un silence habitait les hangars. Non loin était à l'abandon le vieux G.M.C de défunt Farnéus, dans lequel les enfants venaient jouer. C'est d'ailleurs sous ce vieux camion, que Fafa ravit un jour une douzaine d'œufs aux mangoustes.

Tôt dans son enfance, Fafa avait commencé à travailler sur l'Habitation. Il ramassait aux côtés de sa mère des bouses séchées qui servaient de fumier. Il avait déjà neuf ans et se plaisait à jouer dans les seins de la malheureuse au moment de la pause matinale.

Il s'entêtait à vouloir goûter à ses mamelles flétries depuis longtemps, comme des aubergines déshydratées par le carême. Et quand elle ne se sentait pas trop fatiguée, elle le laissait faire. Alors ce n'était plus qu'un jeune veau qui s'assoupissait au fur et à mesure qu'il salivait. A cet instant la belle coolie le contemplait et secouant légèrement la tête, elle lui aménageait un coin d'ombrage tapissé de branchages, de feuilles douces et odorantes. Puis elle se remettait à la tâche jusqu'à ce que midi sonnât.

Fafa devint bouvier dans cette même savane, passant la journée à empêcher les bêtes de traverser la rivière, en un passage à gué qu'elles avaient repéré, et qui leur permettrait de gagner sur l'autre rive, les cannaies de l'Habitation Beauchamp. Cet incident, quand il se produisait, provoquait la jubilation de Casimir, le gardien de l'Habitation Beaumont, qui poussait les animaux un peu plus en avant dans les plantations, de telle sorte que son rapport au géreur fût consistant. Mais l'affaire ne connaissait pas le développement escompté par Casimir, car le géreur de Monsieur Régnier informait de l'incident son collègue de l'Habitation Beaumont et cela n'allait pas plus loin.

C'est à la suite de ces divagations d'animaux que

Fafa fut recruté comme gardien de bœufs. Son père, Monsieur Mathieu, cousin de Patchi fut un fameux conducteur de cabrouet à qui les animaux obéissaient sans broncher. Il disait avoir appris le langage des bœufs de son père qui lui-même, venait directement de l'Inde où il labourait les rizières. Il savait leur parler sur le ton péremptoire qui les arrêtait net quand, à la faveur d'un terrain en pente, l'attelage s'emballait. Il connaissait les chants de labour par lesquels il obtenait des efforts supplémentaires des bêtes, lorsque le soleil lambinait ou que la terre se refusait au soc.

C'était plaisir de l'entendre lors des fêtes indiennes suivant les sacrifices. Sa voix chaude et puissante, se détachait des chœurs que les hommes formaient, et que rythmaient les matalons. Il possédait dans sa chambre un tambour funéraire et un tambour-matalon.

Josaphat aimait à s'attarder dans l'évocation de ses parents disparus.

Le nom de Mathieu son père, fils d'Abo Velaïdomestry, revenait souvent.

Cet Indien gonflait rouge les soufflets de jalousie du charpentier, tant était admirable son habileté à réparer une roue de cabrouet. Avant d'en référer au charpentier, les autres cabrouetiers consultaient Mathieu-Abo sur la nature de la panne et la réparation à y apporter. Sans doute qu'ils effectuaient spontanément cette démarche auprès de leur ami et frère, mais l'artisan chabin qui arborait son crayon derrière l'oreille droite comme un insigne de lettré, se sentait menacé dans sa fonction et son rang dans la hiérarchie de l'Habitation, par ce Cooli à talent qui, selon lui, voulait s'émanciper trop vite du travail de la terre ; ce pourquoi on avait fait appel aux Indiens.

Josaphat ramassa une tige de bambou et s'y appuya pour atténuer la faiblesse de ses jambes. Il ne pouvait revenir sur ses pas, il voulait éviter la chaleur de l'asphalte.

Jadis, en empruntant le sentier qui passait derrière la case de Maximilien le commandeur, Josaphat aurait pu atteindre le centre de l'Habitation. Maintenant que l'ancien charpentier avait acheté cette case et ses terres limitrophes du canal, il n'était plus possible à Josaphat d'emprunter ce chemin. Il dut longer le canal asséché dont les craquelures du lit semblaient réfléchir les mailles du grillage.

Josaphat s'était redressé doucement pour ne pas raviver ses maux de reins. Il exhalait une odeur de putréfaction qui semblait gagner tout son corps. Lentement, il longea les rails rouillés et recouverts d'herbes et de buissons. Il arriva à hauteur de la cascade où il avait l'habitude de se baigner : il descendait par le talus qui surplombait la rivière, et auquel s'agrippaient les racines tentaculaires de leurs deux gros manguiers à l'ombrage épais. Quand il avait atteint la berge, il franchissait d'un bond preste une petite coulée d'eau, qui provenait d'une anfractuosité dans la falaise, par laquelle s'échappait le trop plein du canal, qu'on éclusait en soulevant une planchette. Alors, une chute naissait comme sortie de la fourche d'un gros prunier-mombin. L'eau avait creusé cette grotte aux parois tapissées de plantes épiphytes qui, mêlées aux radicelles de l'arbre, formaient une toison hennée que le courant étirait à sa surface. L'on entendait le chuintement permanent de la cascade. Il y entrait, le corps d'abord enveloppé dans un nuage d'embrun réchauffé par de tièdes rayons, qui traversaient le feuillage, et y projetaient un arc-en-ciel. Il s'attardait un moment dans ce bain vaporeux parmi les arbustes et les lianes, puis s'avançait sous la gouttière qui déversait un filet d'eau.

Demeurer en bordure de la rivière procurait une réelle détente à Josaphat. En plus de la fraîcheur qui s'en dégageait, il lui trouvait l'avantage d'être affranchi de toute prétention de propriétaire, d'être l'un des rares espaces naturels à échapper au patrimoine béké, les rares lieux où l'on ne craignait pas d'être importuné par quelque géreur, ou contremaître, plus soucieux de vous empêcher de vivre, que de défendre les intérêts de leur employeur. Aux rives, il fallait associer les routes et les sentiers des bois. Si bien qu'il se rappela l'époque où les plantations de canne à sucre venaient mourir sur les parvis des églises, et que les bourgs étaient cendrés au moment de la récolte. De même, il se souvint que les personnages des contes que lui racontait sa mère et qu'il entendait dans les veillées, se rencontraient généralement sur une route, un sentier, un lieu de passage, et rarement dans une parcelle de terre, une propriété qui eût appartenu à l'un d'entre eux, qu'il s'agît de lapin, tigre, chien, mulet, macaque, etc.

Il se dit qu'en des temps anciens, là où le souvenir de l'homme ne pouvait remonter, toute la terre devait appartenir aux Békés. Il comprenait le désarroi de ceux à qui le géreur réclamait la case, ne sachant où aller, où déposer leur baluchon, sur quelle autre Habitation trouver refuge.

Le fait que son placenta ait jadis nourri les racines de quelque bananier planté sur l'Habitation Beaumont, ne conférait pas plus d'assurance à ses pas, et, il éprouvait cette sensation de dénuement, comme lorsque enfant, les adultes lui rappelaient avec dérision que son short kaki avait deux fenêtres, par où se voyait son derrière osseux comme celui d'un cochon-planche. Que de fois il avait l'impression, d'être dérouté, lorsqu'il croisait dans un sentier, le géreur en tournée sur son cheval, ou le Béké dans sa jeep, au point de ne pouvoir jamais évaluer l'espace qu'il fallait laisser pour qu'ils passent, de sorte qu'il entrait dans l'herbe, bien avant que n'arrivâssent à sa hauteur, ceux qui feignaient de ne pas s'enorgueillir de cet écart, et semblaient l'attribuer à l'ordre normal des choses sur l'Habitation.

Josaphat écoutait comme une musique, le bouillonnement de son pissat dans la rivière. Il se plaisait à regarder le napperon d'écumes que le jet formait, avant qu'il ne perdît son amplitude, et ne se réduisît en gouttelettes dégoulinant de son sexe secoué fébrilement. Jusqu'à complète disparition, il sentit s'amenuiser cette impulsion qui lui avait été communiquée par l'envie d'uriner et qui s'était accompagnée d'une volupté certes éphémère, mais suffisamment manifeste pour qu'il estimât sa virilité encore apparente et laissât son imagination se frotter à des thèmes assez suggestifs pour qu'elle s'enflammât. Il espérait ainsi tirer de l'inertie dans laquelle il était retombé, son sexe ratatiné. Il était soudain parcouru d'un rire d'abord convulsif, qui, une fois affranchi de sa nervosité et de la sensation d'oppression d'un souffle bronchité, traduisait la joie réelle procurée par ce souvenir qui lui éclairait le visage d'une lueur de malice.

Josaphat revoyait le visage jovial de Gabélius un jour où vers l'âge de dix-huit ans, ils se baignaient dans la Lézarde, tous deux nus comme des anguilles. Pour le mettre en garde contre leur fâcheuse habitude de laisser traîner leur membre viril dans le courant où quelque poisson, par méprise, pouvait y voir quelque ligne bien appâtée, Gabélius lui conta l'aventure d'un moine au sexe si étiré, qu'il devait s'en ceindre la taille de plusieurs tours. Faisant ses ablutions dans le cours d'une rivière, le saint homme sauva trois laveuses qui à coup sûr s'y seraient noyées si elles n'avaient, par réflexe, avisé ce long bout de chanvre sans toron, tendu par le courant, et auquel elles s'agrippèrent si désespérément qu'elles causèrent émoi chez le baigneur tonsuré. Ce dernier ne pouvant souffrir cette élongation musculaire, rapatria, d'un mouvement de moulinet imprimé à ses hanches, la trop aventureuse partie de lui-même, dont il avait hâte d'apercevoir le bout, tel celui d'un pèlerinage. Sa pêche miraculeuse le transit de consternation. Quant aux rescapées, elles y virent un signe, voire un miracle de la providence, et voulurent rendre hommage sur-le-champ, à cette figure de sainteté qui les avait sauvées des eaux.

Josaphat était content. Il avait l'impression de n'être en vie que parce que rivé à son passé, parce que la mémoire le plongeait dans un bain de souvenirs qui lui ranimaient la conscience. Il lui suffisait de se gratter le cuir chevelu, de regarder un arbre, une liane, un rat grimper dans un roseau, un merle siffler, ou, simplement humer le parfum d'une fleur sauvage, pour que dérivât sur un événement, un fait jadis anodin mais devenu soudain très significatif, sa pensée. Comme si la réalité ne s'habillait d'importance qu'une fois enfouie à la manière d'un régime de bananes que l'on murit, sous la paille même de la plantation békée, avant de le retrouver couvert de rousseur, comme le gras visage de Mademoiselle Jeannette.

Josaphat examinait une liane d'igname Saint-Vincent. Née dans une touffe de roseaux, elle avait grimpé sur des arbustes pour atteindre les branches d'un pied de cotelette. D'un vert foncé qui attestait d'une santé garantie par la proximité de la rivière, ses feuilles formaient une épaisse tonnelle dans l'arbre.

Josaphat pensa à l'aubaine de celui qui récolterait cette igname sans avoir eu à la planter. C'était là un exemple de la générosité de la nature qui pouvait procurer un ordinaire au moment où l'on s'y attendait le moins, sous la forme de légumes ou de fruits. Sur les berges de la Lézarde poussaient souvent des bananiers, des arbres à pain et même des manguiers que les crues arrachaient aux plantations riveraines.

De nouveau, il leva les yeux en direction de la cime de l'arbre. Une flèche de soleil traversa le feuillage et l'éblouit. Il se massa les yeux à l'aide de la paume des mains. Le simple geste de redresser la tête, lui avait causé un léger vertige. Josaphat s'adossa à une racine de manguier et attendit que disparût son malaise.

Un instant durant, il retrouva cette impression d'être sur un cheval-bois, si vive certains soirs où ses jambes se dérobaient sous le fardeau de l'ivresse. Des fois où il cédait à des vomissements qui lui arrachaient les entrailles et empuantaient la case, le lendemain, au point qu'il se sentait aussi confus qu'un enfant ayant déféqué sans sa gaule. Cette odeur d'excrément, son souffle l'exhalait, qu'il l'envisageât par les narines ou par la bouche, sans qu'au moyen d'une brindille, ou d'un piquant dont il émoussait la pointe, il eût à se curer les dents dont l'effritement prenait la mouture sableuse des scories meulières appelées caca-meule, souvent utilisées pour lustrer la vaisselle aux abords de la fontaine.

Parfois, une brise rabattait vers la bananeraie la fraîcheur qui montait de la falaise.

Tressaillant soudain au remugle de la paille humidifiée, Josaphat leva le nez à la manière d'un chien pressentant la présence d'un manicou, et se mit à renifler. Alors, son regard se porta en avant comme s'il se trouvait dans la bananeraie et épiait les travailleuses, dont les vêtements tavelés de latex, s'harmonisaient avec les feuilles mortes des bananiers. Elles lui apparaissaient comme des papillons mimétiques à la diaprure embuée, qui se détachaient soudain du tronc les dissimulant, et se déployaient dans tous les sens.

Son imagination salace attisait son désir, il se sentait transporté. Elles étaient aussi des plantes, des arbres fruitiers d'un jardin enchanteur. Et leurs seins devenaient des cabosses de cacao, leurs rondeurs callypiges des calebasses pleines et la paille un lit en fer. Il dégustait sapotilles et mangues divines, offrait du nectar de fruit de la passion et du marc-doux mélassé !

L'atmosphère de ces tâches au bord de l'eau était toujours détendue, et les plaisanteries grivoises parcouraient d'un bout à l'autre la plantation, subissant de bouche à oreille des variations de plus en plus désopilantes, où toutes les astuces langagières en questions pièges, jeux de mots, métaphores filées étaient réunies.

C'étaient aussi de grands moments de farces, de pastorale, de comédie, de conte-de-vie où Gabélius, Finotte, Romule, Hortensius, Charlotte et lui-même Josaphat, excellaient dans le mime, les imitations de la bourrique, de la jument, mais aussi dans les caricatures de l'épicière, du charpentier, des commandeurs, du géreur, du béké ainsi que des présumés dorlis.

Pas une de ces âmes distinguées qui trouvât grâce à leurs yeux. Ils les déshabillaient, les travestissaient, les agitaient comme des bois-bois, les rempaillaient pour le plus grand plaisir de toute l'équipe laborieuse qui transformait la plantation en un brouhaha intempestif où cris, hurlements, jurons se mêlaient à des braiments, des hennissements, des crescendos de rires qui montaient en sirène d'alarme puis brusquement chutaient.

Avisés par les piaffements des sabots sur les cailloux, les travailleurs postés dans les premières rangées de bananiers prévenaient leurs vis-à-vis de l'irruption du géreur.

Mais cette nouvelle se propageait moins vite que les plaisanteries qui la couvraient, de sorte que le cavalier au casque colonial, avait le temps de se porter à hauteur des hâbleurs et des pétulants et, de les tancer, injurier, traiter de fainéants, d'exploiteurs du Béké dont ils abusaient de la bonté. Ah ! qu'ils avaient de la chance que cela ne dépende pas de lui qu'on les foute dehors, car il n'aurait pas hésité une seconde à faire venir les Sainte-Luciens en masse ! Et sa voix emplissait la bananeraie à l'acoustique de cathédrale comme s'il avait étiré son serpent de cou, et qu'il hurlait bouche collée aux oreilles de chaque travailleur.

Toutes et tous étaient devenus silencieux et vaquaient à leurs occupations, faisant mine d'être confus comme de grands enfants engueulés.

D'un mouvement de bride, la monture repartait bavant et pétaradant. Arrivée à l'entrée de la bananeraie elle s'arrêtait : « Gabélius, Josaphat, vous n'aurez désormais comme tâche que du désherbant à épandre. »

Josaphat s'était rapproché du lit de la rivière. Deux grands manguiers et un gros prunier-mombin en ombrageaient le cours. La surface de l'eau avait le brillant d'une route récemment goudronnée. Josaphat repéra une roche plate et d'un bond s'y installa. Il pouvait alors se laver sans avoir à se dévêtir entièrement. Il lui avait suffi de se retrousser le pantalon jusqu'aux genoux et d'ôter sa chemise. L'eau était fraîche. Elle tempérait la sensation de lourdeur qu'il avait éprouvée dès son émersion de la sieste. Il se gargouilla puis cracha. Il eut envie de se désaltérer mais y renonça : sous une touffe de bambous étendue au milieu du lit, s'étaient agglutinés des boîtes de conserves, des bouteilles, des emballages de plastique bleu, des noix de coco sèches ainsi qu'une myriade de noyaux de prunes-mombin.

Tous ces détritus paraissaient empêtrés dans un filet de feuilles mortes de bambous halé par le courant. Josaphat tressaillit : le souvenir du barrage tel qu'il en avait rêvé la première fois, resurgissait dans sa mémoire. Il y avait de cela deux jours. C'était durant sa sieste.

Il s'était réveillé en sursaut, comme si on l'avait jeté hors du rêve et resta assis sur la paillasse, la tête dans les mains, lourde, semblable à un gros fruit à pain. Une douleur dans la colonne vertébrale lui rendait cette posture difficile. Il s'affala, se recroquevilla et grimaça sous l'effet des borborygmes aigres qu'il rendait et de la chaleur qui faisait claquer des croûtes de rouille sur le toit.

Josaphat rouvrit les yeux, il pouvait ainsi supporter mieux l'accélération de son rythme cardiaque qui l'inquiétait depuis quelques jours et qu'il ressentait de nouveau après ce sommeil au cours duquel il avait eu l'impression de vivre un drame : Josaphat construisait un barrage sur la Lézarde, en un endroit où l'eau donnait généralement aux genoux. Il avait aligné, sur toute la largeur du lit, de grosses pierres, entassé des branchages, des troncs de poiriers et de pois-doux, dressé une palissade de bambous verts qu'il avait enfoncés dans le lit caillouteux et limoneux et, sous ce fatras, avait enfoui des paniers-bassins qui s'ouvraient en entonnoirs. Il se tenait juché sur le rebord du barrage et observait le déplacement allègre des dormets au fond de l'eau et des lapias à la surface, quand soudain, il vit le niveau de la rivière monter à une vitesse telle qu'il dut s'enfuir vers le haut de la falaise. C'est alors que le cours de l'eau s'était transformé en une grande tracée boueuse dans laquelle il s'engagea, pataugeant jusqu'aux cuisses pendant un moment qui lui parut une éternité, n'eût été l'apparition du soleil de l'après-midi aux abords de l'Habitation. Il se retrouva alors dans le sentier le conduisant vers la maison de sa défunte mère, un fagot sur la tête. Alerté par un roulement de caillou sur le chemin, il sursauta et, se retournant, aperçut Gotehell qui le suivait à une dizaine de mètres. Il rentrait de sa tâche. Josaphat pressa le pas pour maintenir une bonne distance entre le vieux travailleur et lui.

Quand l'après-midi environnait les trois heures, tu apercevais venant des plantations longeant la rivière, une silhouette élancée, coiffée d'un bacoua de haute forme et à large bord, que l'on pouvait identifier du seuil de l'épicerie, comme étant Gotehell sortant de ses toises de houage. Tu n'avais pas achevé ta remarque et posé ton verre sur le comptoir, qu'apparaissait soudain, comme s'il avait subodoré ta parole, son chien, éclaireur à la mise blanche ocelée de noir, grand chasseur de manicous, ayant maintes fois permis à son maître par jours de semaine, alors que la vente de morue et salaison battait son plein, de se pavaner près de la Paye, avec un beau marsupial mâle assujetti par sa propre queue au manche de la houe. Et même le géreur de l'Habitation, une fois où le gibier était une belle bête de huit livres que Gotehell et le chien avaient capturée vivante, s'était intéressé à eux proposant un bon prix.

Gotehell, par son chien, commençait à être connu sur l'Habitation qu'il quittait à chaque crépuscule, un sac de jute sur l'épaule gauche, et, dans la main droite, un coutelas au fil de rasoir. Il marchait d'un pas mesuré et lourd, enfoui dans une profonde réflexion, les yeux rivés, on eût dit, sur la queue du chien qui trottinait devant lui, gardant toujours le même écart entre eux, attelage fantastique, répondant impassible au bonsoir lancé par une femme ou un enfant qui, par peur, avait gagné l'autre côté de la route, empruntant résolument le fossé herbeux comme si quelque rare automobile arrivait à vive allure dans leur direction et c'est alors qu'explosait un juron échappé d'un étouffement qui faisait pivoter le conducteur et se cabrer le chien qui aboyait en sursaut, maudissant par la même occasion celui qui le ménageait si peu. Qu'avait-il fait pour qu'on le craignît tant ? Etait-il un criminel, un voleur, un vagabond sans livret, un Nègre marron ? Pour sûr qu'il avait déjà coupé plus d'une mère mais toujours avec ce coutelas qu'il portait entre les jambe. Les gendarmes ne l'avaient jamais arrêté pour ça ; quand il coupait, c'était comme s'il avait sous sa lame la farce du boudin ou de la viande du pâté en pot ; et l'on était bien servi, Coolie, Chabine ou Négresse.

Et penché en avant, il vociférait, non plus contre son involontaire perturbateur, mais tourné vers le champ de canne, les yeux hagards et éperdus jusqu'à ce qu'une voix mâle, moins caverneuse que la sienne, l'interrogeât avec compassion et bonhomie sur l'objet de son agitation et qu'il répondît avec un brin de sourire accompagné d'une moue de garçon dont la pudeur est mise à rude épreuve : « sé manmay-la ka anbété mwen (les enfants m'embêtent). » Et il poursuivait son chemin laissant là celui qui l'avait tiré de ce monde où il se recluait, pourvu qu'il se retrouvât seul sans que son attention fût éveillée par la présence d'un interlocuteur, aussi présent que les bœufs dans la savane bordant la grand-route encore tiède.

Ces vaches au ruminement laborieux et placide comme des laveuses, n'avaient rien à voir avec le taureau qui poursuivait Josaphat certains après-midi où le soleil chauffait à blanc la tôle de la case dont aucune brise, aucun vent de terre même infiltré entre les rangées de glycéridias, d'arbres à pain et de bananiers ne parvenait à tempérer l'ardeur, si bien que la terre rouge craquelait pour prendre l'aspect d'une épaisse couche de poussière où une mystérieuse bourrasque tissait un voile ocre qui recouvrait les plantes telles des ouvrières agricoles revenant d'une journée de petites-bandes ou de plantation de baliveaux. Il n'éprouvait de soulagement que lorsqu'il avait pris quelques punchs secs ; ce qui le plongeait dans une grande sieste le préservant assurément des tourments et mauvais sujets ; ainsi ce taureau noir qui, d'un mouvement de cornes, le faisait dégringoler au fond de la « Ravine Ciriques » et, de surcroît, fonçait sur lui avec une célérité telle qu'il n'avait que le temps de renouer sa ceinture mahaut qui s'était détachée, et de prendre ses jambes à son cou pour remonter l'autre versant du morne dans la direction de Fond-Cacao - la maison de sa tante - sa marraine, la bête le talonnant toujours, à tel point qu'il sentait le souffle chaud de ses naseaux lui balayer la poussière du creux des chevilles. Il transpirait comme un canari de châtaignes, appelait sa défunte mère, et implorait tous les saints du ciel, quand d'un coup d'œil en arrière, il eut le temps de voir la corne de la bête si près de lui qu'il poussa un cri d'effroi, de désespoir car il venait de perdre l'équilibre en heurtant du pied droit une grosse pierre, et allait se retrouver par terre piétiné et transpercé par ce monstre noir, création diabolique qu'on avait dressée contre lui et qui en cet instant allait mettre un terme à sa vie.

Et la chute semblait s'éterniser, animée d'un ralenti

interminable. Elle prolongeait indéfiniment cette terreur qui le faisait périr de mille morts en différant le moment suprême où aurait cessé son existence d'homme misérable de toujours, depuis qu'enfant il goûta aux seins de sa mère maigre et sèche comme du campêche qui portait tout le temps une vieille robe noire en mémoire de sa grand-mère disparue bien avant l'époque des caïdons ; cet enfant qui plus tard allait ramasser des bouses sèches dans les savanes de l'Habitation Petit Morne pour quelques sous afin de soulager cette pauvre femme qu'éreintait la charge de nourrir huit enfants depuis que son homme avait été réduit en charpie par Monsieur Romule son voisin et compère, un samedi soir de rhum, pour une vague histoire de mouton de l'un qui avait brouté dans les ignames de l'autre ; mais le mobile n'étonnait pas car c'est fréquemment que l'alcool métamorphose un quidam à la docilité d'agneau, en bête féroce que rien ne peut contenir avant que ne soit expulsée son agressivité homicide ; alors certains étaient hélés au centre des veillées et leurs veuves et leurs mères nouaient leurs cheveux d'un madras imbibé de camphre ou d'essence de corossol ; elles dont les yeux prenaient une lueur vitreuse comme si toute vie en avait été extirpée ou que la réalité de l'existence était devenue soudain d'une clarté éblouissante tandis que leur teint se plombait comme si leur peau s'était moisie, et que leur voix se gorgeait d'eau telle des christophines d'hivernage.

Quand vers les trois heures de l'après-midi, le convoi funèbre quittait le morne pour l'église, le soleil était torride sur le goudron de la route. Il y créait des mirages de flaques et faisait le malheur de ceux qui n'avaient pas eu assez de conduite pour s'acheter une paire de souliers chez le Syrien ou qui trop respectueux des usages de l'enfance, s'étaient avisés de se chausser à l'entrée du bourg après s'être rafraîchis une dernière fois à la fontaine.

Ils auraient eu les plantes des pieds grillées comme le Marron n'ayant pu semer la meute lancée à sa poursuite. Et les seize porteurs auraient parcouru plus de dix kilomètres, se seraient relayés quatre par quatre pour éviter toute défaillance ; car ce genre d'équipée n'admettait pas de fanfaron. Il ferait courir trop de risques aux vivants et au mort s'il provoquait la chute du corps. Et les hommes ruisselant de sueur, réclamant çà et là une gorgée de calebasse, espéraient le moment où l'insolite cortège atteindrait le parvis de l'église pour un enterrement de troisième catégorie, avant l'inhumation dans un coin du cimetière, là où l'herbe était d'un vert bleuâtre comme si quelque engrais l'avait fait croître.

Le prêtre se tenait debout, face au trou pareil à ceux que Josaphat avait pu voir creuser dans la savane, du temps où Sabarthali, jurant que nul Cooli ne pourrait se vanter de posséder plus de têtes de bétail que lui, empoisonnait celles des autres travailleurs de l'Habitation, ou leur enfonçait dans le ventre une pointe qui faisait passer de vie à trépas en moins de quarante-huit heures ces bêtes, sur le corps desquelles poussaient subitement tant de vers, qu'elles dégageaient une odeur pestilentielle, insupportable à cent mètres à la ronde, et empuantaient l'espace de pâture, telles des charognes ambulantes.

La terre était d'un gras argileux, et les vers de terre si gros, qu'ils auraient fait le régal des lapias du canal-moulin, où Josaphat pêchait ces poissons voraces dont l'intérieur puait, tant ils s'empiffraient d'excréments humains. C'était pourquoi de jeunes plaisantins qui n'avaient jamais connu de jour sans pain ni fruit à pain, dédaignaient cette fréquente concurrente de la morue, en bonimentant : on mangeait les excréments d'autrui en pêchant son ordinaire dans le canal.

La prière du prêtre achevée, le cercueil avait été aspergé d'eau bénite et encensé une dernière fois. Puis on l'avait descendu à l'aide de deux cordes.

Alors une rumeur avait parcouru l'assistance, un frisson les échines ; l'angoisse avait gonflé les poitrines et noué les gorges en un étouffement incompressible qui avait arraché des sanglots douloureux à ses proches, sa mère, ses tantes, ses sœurs, ses frères, et son oncle, avant de secouer les rangs des amis et alliés.

D'autres, non moins émus, s'efforçaient par pudeur de contenir leur peine et arboraient un rictus comme un costume neuf.

C'en était fini de lui qui n'avait plus de père dans cette existence si dure, personne qui le défendît en cas d'attaque d'un major.

Mais ce bœuf qui allait maintenant lui planter ses cornes dans le corps et faire jaillir ses entrailles... Il ferma les yeux, sentit les larmes lui couler sur le visage, se recroquevilla, les mains en croix devant la face, réflexe dicté par le désespoir et la résignation comme pour parer à l'imparable ou renouer avec son premier geste, lorsque ébloui par la lumière au sortir du ventre maternel.

Une soudaine et vive douleur au niveau des coudes et des reins le ramena à la réalité. Il n'était pas mort : allongé au pied du lit il transpirait à grosses gouttes.

Josaphat se sentait angoissé ; qu'il eût à deux reprises en quarante-huit heures, rêvé de barrage sur le cours de la Lézarde, ne constituait pas à ses yeux le fait le plus étrange.

Que de fois il eut le plaisir d'en construire sous le pont Laurent avec Gabélius et Romain ! Par ailleurs, c'est volontiers qu'il accepterait maintenant un court-bouillon de poisson ou un colombo d'écrevisses ou de z'Habitants. Ce qui le préoccupait, c'était surtout le taureau noir, le visage de défunt Gotehell et l'image du cimetière.

Par contre, la présence de sa mère dans ses rêves, lui procurait apaisement et contentement. Il l'aurait voulue plus fréquente. C'était comme s'il était hospitalisé et qu'elle le visitait souvent.

Sans doute que la bonne âme éprouvait de la gêne à accepter la paix éternelle tandis que lui Josaphat son fils, vivait ici-bas dans la misère. Ah ! qu'il lui tardait de faire le grand voyage pour la rejoindre.

Josaphat se rappela les rondes de laghia qui se déroulaient aux abords du Pont Laurent, entre l'usine et l'Habitation Beaumont. Une foule de spectateurs et de supporters formaient un cercle où les majors entraient en lice. Ceux de lisière Galbas, ceux de Derrière-Bois, ceux de Beaumont, Gros Emmanuel, Robenson et René-Grands-Bras. Maître Edwar rendait volubile le tambour, Josuat maniait les ti-bois. Mêmes certaines marchandes de bonbons et cacahuètes descendaient. D'autres proposaient des sandwichs au poisson frit, des coulirous, des poissons de rivière tels les dormets ou les gueules-de-pot.

On pouvait aussi avoir un œuf dur ou moulu qui, dans ce cas, tonifiait lorsqu'il était arrosé de « Porter ». L'assistance féminine était assez clairsemée. Les figures les plus attendues étaient des femmes qui vivaient seules et n'avaient pas de progéniture. Elles approchaient de la cinquantaine et maniaient avec autant de dextérité, le coutelas, le majoumbé, la chaîne à bœufs que le fer à repasser. Si elles éprouvaient le regret de n'avoir pas donné le jour à un enfant dont l'existence aurait conféré plus d'autorité à leur vie, elles semblaient par contre trouver satisfaction à rendre contingente la présence d'un homme à leurs côtés, et un certain plaisir à en souligner la précarité, tant était manifeste leur jactance lorsqu'elles rendaient publique une fin de liaison.

Leur compagnie était appréciée lors de ces divertissements aussi bien par les hommes que par les jeunes célibataires. Ceux qui parmi eux, avaient obtenu l'autorisation de se rendre à ces tournois de laghia parce qu'apportant déjà un maigre salaire au foyer parental, trépidaient du désir de connaître les délices de l'amour assimilés à une batterie d'usine. Mais la rémanence trouble du pubis datait de leur petite enfance, et ils éprouvaient tant de mal à se représenter ce sexe féminin mûr que camouflaient les métaphores des plaisanteries et chansons à succès, qu'ils trouvaient parfois réaliste de l'imaginer adjoint de deux testicules ou d'un pénis.

Loin de s'intéresser aux joutes des majors et de leurs challengers dans le cercle métamorphosé en arène de Pitt par les exclamations, les encouragements, les invectives des spectateurs, leur attention était captée par les va-et-vient de ces femmes coiffées d'un madras, vêtues d'une robe sentant le camphre et la sueur. Elles rivalisaient tant en beuveries qu'en grivoiseries avec les plus invétérés des paillards. Sans doute cherchaient-elles ainsi à s'évader de leur condition de femmes pour se faire admettre dans l'ordre des hommes.

D'ailleurs ceux-ci, sensibles à leur volonté de se transformer, les qualifiaient de mâles-femmes.

Héloïse vécut seule, les hommes de l'Habitation ne parvenaient pas à se l'assujettir. C'était plutôt elle qui les prenait en ménage. Elle les choisissait de préférence parmi les travailleurs saisonniers. Quand on entrait chez elle le matin, il n'était pas sûr que l'on y pût achever la journée ; car malheur à qui se hasardait à hausser le ton dans sa maison, persuadé que là aussi se poursuivait le règne de l'homme. Elle manifestait le même entrain à renvoyer un concubin devenu trop prétentieux qu'à tirer sur une chaîne de bœuf ou planter une barre à mine.

Et l'on craignait Héloïse pour l'espèce de bois-garrot qu'elle couchait sous son lit, ou pour son coutelas qu'elle maniait avec une dextérité telle que peu de coupeurs pouvaient se vanter d'étendre dix piles-cannes avant elle, s'il est entendu qu'ils avaient pris l'embauche en même temps. Dans l'expression de ses désirs et de ses pensées, Héloïse ne connaissait pas de limites.

Au géreur qui l'avait envoyée au sarclage de cannes où croissait une herbe-guinée aussi haute qu'une toise, elle demanda si cette tâche ne pouvait convenir à Josette, sa concubine à qui il aimait confier le désherbage de bananeraies proprettes comme des pas de porte.

Pour se rendre au Gros-Morne à l'enterrement de défunt Ernest, Héloïse alla jusqu'à demander en emprunt Mirabelle au Béké. Tout en se balançant dans sa berceuse sous sa véranda, Monsieur Jacques lui répondit sans relever le casque dont le rebord lui masquait la vue : « Hum ! ma fi cé assé tuyé ou pa ni pace ou té ké mangé migan ! (hum ! ma fille, tu devrais avoir des besoins moins extravagants). » Arborant un rictus, elle lui tourna le dos, déçue que sa requête n'ait pas été agréée.

Alors qu'elle descendait vers sa case, elle croisa Josaphat qui remontait vers le centre de l'Habitation. Ce dernier n'eut pas le temps de placer, contrairement à son habitude, quelques gaudrioles. D'une bourrade elle lui cloua le bec et poursuivit ses vociférations à l'encontre de cette békaille qu'elle maudissait plus que tout au monde, et pour qui la vie des travailleurs n'était que canne entre rôles de moulin.

Josaphat avait repris son sentier sans trop se soucier de la contrariété d'Héloïse. Il trouvait blâmable cette présomption féminine à prétendre à toute chose, à vouloir décrocher la lune et cueillir les fruits du papayer mâle. Maintenant qu'il revoyait la scène, les faits prenaient une tout autre signification. Outre un livre de comptes, il y avait aussi dans les tête des Békés, un code régissant les rapports sur l'Habitation. On y assignait une place à chacun, Béké, géreur, commandeur, charpentier, cannelier, coupeur, petites-bandes, Blanc, Nègre, Cooli et ce, depuis que les cases avaient été en roseaux, bambou et paille-canne.

Rien ne venait modifier cet ordre qui demeurait indissociable du patrimoine ; ni le temps ni aucun événement, encore moins les familiarités de l'enfant béké qui t'apparaissait dans son bourgeonnement vigoureux tel un figuier-maudit. Et cet enfant que tu affublais du sobriquet de « mulet blanc », avait coutume, lors de ses promenades, de s'arrêter à ta case, de soulever le couvercle du canari et pouvait dans son ingénuité, prendre en considération ta dimension d'adulte, par les nombreuses explications que tu étais amené à lui apporter au sujet de la vie des choses et des animaux, tant et si bien que tu lui donnais tout naturellement un petit peu de l'affection que tu témoignais aux tiens, pensant qu'il serait petit-tigre-sans-griffes, et que si tes yeux ne se fermaient pas trop tôt, tu pourrais connaître des jours moins pénibles avec lui, et surtout tes enfants, ceux qui demeureraient sur l'Habitation, parce que leur scolarité ne leur aurait pas permis d'en franchir les limites, tel le gommier, la barre, et de se mettre à l'abri des pluies et coups de tonnerre, là où le regard de l'homme ne t'assujettit pas comme gendarme sur bijou.

Mais tu te rendais compte, non sans amertume, qu'il y avait déjà chez cet enfant une assurance prématurée qui le plaçait au-dessus de ta grandeur, de ton âge, de ton coutelas, et qu'il pouvait se passer des parties de jeux auxquelles tu souhaitais fort secrètement qu'il s'adonnât avec tes enfants, un sentier qui traversait la cannaie et que le voleur avait tracé. Et sa voix se faisait plaintive et fluette surtout lorsqu'il avait trouvé une chose à demander au géreur ; une fausse faveur que ce dernier ne pouvait en aucun cas lui refuser telle l'autorisation d'exploiter les berges de la Lézarde, juste en aval de la zone où Raymond récoltait des ignames difformes comme des membres atteints d'éléphantiasis, des concombres qui faisaient des kilos ; et, c'était plaisir et fierté pour Raymond de vous en offrir ou de passer devant « la paye » juste avant l'embauche, précédé de l'aîné et du cadet de ses fils, l'un portant un panier caraïbe d'ignames portugaises et de concombres, l'autre courbé sur un bidon de lait dont l'anse métallique lui imprimait une douloureuse lunule d'ampoules au creux de la main comme après une chaude matinée de houage ; et lui Raymond qui suivait, distancé par son chien et le bruit sourd de ses bottes sur le gravier, tenant d'une main, ostensible équerre, son coutelas et une grappe de poissons divers ; des gueules-pots à la tête aussi grosse qu'un poing, (avec leurs joues charnues, elles devaient être, à elles seules, un régal), des dormets gras faisaient envie, quelques mulets qui ayant voulu explorer l'amont, avaient fait une ultime escale dans les nasses de Raymond, et enfin, plus gluante et farouche, oscillant autour de la tige à la manière d'un trigonocéphale, farouche, impressionnante, une anguille dont les orbes promettaient un plantureux colombo aux ingrédients multiples ; mandia, cadichidé, coto-milli et riz grillé qui mêleraient leurs arômes et embaumeraient la cuisine, d'où le fumet s'échapperait du foyer et se répandrait dans la cour, fouettant alors les sens de Raymond qui, pour le moment, passait, avec dans l'autre main un régime de bananes-cornes, à la vue desquelles, le commandeur qui estimait que son épouse recevait trop d'égards de la part du géreur, trop de tâches aisées sous les grands bananiers en bordure de la rivière, éprouva quelque contrariété, comme si la présence de ces légumes robustes, ravivait en lui quelque mauvais souvenir mal enfoui, ou annonçait un prochain cocufiage.

Il détourna la tête et harangua son équipe : « Ces messieurs et dames, en avant pour le travail du Béké ! »

Josaphat se rappelait les visites que Nocin Péroumal et Génius Swamy effectuaient sur les habitations en compagnie de quelques autres Indiens de Sainte-Marie.

Elles avaient lieu généralement entre janvier et juillet et correspondaient à la période des cérémonies hindoues. C'étaient des moments de liesse pour les Indiens de Beaumont, Roches-Carrées, Union, Fonds d'Or et Ressource ; des retrouvailles chaleureuses entre parents et amis qui, le reste de l'année, se perdaient de vue, comme isolés sur des îlots dans l'immensité cannière.

Les conversations s'orientaient inévitablement vers les oncles et tantes qui avaient depuis longtemps dépassé la soixantaine, mais se sentaient aussi ragaillardis que le dernier de la lignée, celui à qui le curé venait de refuser le baptême parce que ses parents ne renonçaient pas au culte hindou. Ils s'attardaient dans l'évocation du souvenir des plus anciens dont l'oncle Alikan était, de l'avis de tous, la personnalité la plus populaire.

Agé de quatre-vingt-dix ans, il s'occupait lui-même de ses animaux, de l'entretien de son jardin vivrier et de la chapelle indienne à l'orée de la plantation.

Il s'exprimait dans un tamoul qui laissait ébaubis les jeunes initiés, lorsqu'ils l'écoutaient psalmodier des passages du Ramayana. A chaque pause il fournissait des explications, faisait des commentaires sur ces récits qui, dans l'Inde, étaient racontés nuit et jour tel un immense tapis déroulé par des musiciens, des danseurs et des vatialous comme lui, qui se relayaient avec la ferveur d'officiants, afin que ne se cassât pas la corde de la parole sacrée, la chaîne des rythmes divins qui devaient conduire l'assistance vers un monde affranchi de toute pesanteur. C'était comme si, assistance, musiciens, danseurs et récitants, dans une grande liesse fraternelle, observaient une veille, se privaient de sommeil pour se laisser transporter dans un même navire fantasque, empruntant un même fleuve, un même océan, celui du récit, des harmonies et de l'imaginaire collectifs, pour découvrir un continent fabuleux dont ils possédaient chacun, au fond d'eux-mêmes, une contrée de la géographie, indissociable des autres contrées, telle une pièce d'un vaste puzzle.

Alors l'oncle Alikan prenait un air grave pour dire la modestie de son savoir, que la vie sur la plantation avait appauvri.

Mais sitôt qu'on avait vanté son talent, il exultait comme un bouddha pansu et montrait la toison de sa poitrine, grisonnante et hirsute tel un « cabouilla » en carême : ses poils étaient encore humectés de l'embrun du voyage Inde-Antilles, s'exclamait-il.

Par contre, si on lui demandait mi-ironique, mi-sérieux, pourquoi il ne s'exprimait pas plus souvent, il adoptait le ton de la sagesse pour répondre : « Qui de l'eau du puits ou de celle du seau est la plus fraîche ? »

C'est vers la fin de l'après-midi qu'ils arrivaient tous dans la camionnette de Nocin. Ce dernier, depuis son départ de l'Habitation Ferrières, avait ouvert une boucherie au bourg. Il représentait un concurrent gênant pour les bouchers créoles installés au marché communal. Il raflait toute la clientèle indienne des environs. Aux plus démunis il offrait toujours un ragoût ou une soupe. Les plus aisés appréciaient la qualité de son service et sa courtoisie.

Que ne lui a-t-on donc pas encore jeté un sort ? Plus d'un y avait pensé, affirmait-il, mais ils ne se décidaient pas à passer à l'acte, craignant les foudres de Maddevilin et de Mariemen. Les casés de l'Habitation s'enorgueillissaient de l'ascension de Nocin. Elle leur faisait miroiter la possibilité d'une existence meilleure hors de l'Habitation. Une bonne terre où ils pourraient planter et élever représentait à leurs yeux l'espace rêvé. Ils abhorraient la ville qu'ils considéraient comme un mouroir, un lieu où les Indiens venaient échouer à la manière d'un cours d'eau que le fardeau alluvionnaire forcerait à l'étalement avant d'atteindre la mer. Que de fois Josaphat eut l'occasion d'entendre Patchi évoquer le cas des nombreux Indiens qui au terme de leur contrat de cinq ans passé avec la colonie, quittaient l'Habitation où ils avaient travaillé, pour aller attendre en ville, le bateau devant les rapatrier en Inde ?

Las d'attendre, ils tombaient dans l'errance et la déchéance. Ainsi la colonie et les planteurs qui les avaient engagés pour le travail de la canne faisaient l'économie du billet de leur retour. Alors d'une eau fangeuse sortie de la bouche des Créoles et des Mulâtres, ils étaient éclaboussés et couverts de boue comme si pour les uns et les autres, la misère indienne, étalée au niveau des dallots, leur faisait horreur et réveillait en eux un vieux fonds de laideurs humaines hâtivement enfouies.

Pour Josaphat, la vie semblait résulter d'un compromis dans l'espace de l'habitation. Que des hommes, des femmes, si différents à l'origine par la couleur, le langage, les coutumes, pussent se côtoyer journellement et vivre ensemble, il fallait qu'ils renonçâssent les uns et les autres, les uns davantage que les autres, à la part d'eux-mêmes qui ne s'avérait pas indispensable à la communication, à l'échange.

Ce sacrifice était le prix de la survie. Il s'apparentait au réflexe de l'anoli qui abandonnait sa queue pour échapper à un danger imminent. Mais ici, dans le cas des Nègres et des Indiens des plantations, le salut ne consistait pas à prendre le large ou à emprunter la piste des mornes, il résidait le plus souvent dans une confrontation avec autrui.

Il ne s'agissait pas de joute, de partie de lagghia où la force virile aurait été la valeur suprême ; cette reconnaissance réciproque entre Nègres et Indiens, entre ces derniers et le Béké, se produisait toutes les fois qu'entre eux se dissipait le voile de la méfiance et que la confiance commençait à poindre.

Alors dans la société de l'habitation, l'on découvrait que l'autre n'était pas une menace, un ennemi, mais un être humain, un terreau dans lequel pouvait prendre la part d'humanité que l'on porte en soi, et qui ne peut fleurir que si elle trouve à s'enraciner dans une relation avec autrui. Tout comme l'abordage de l'île, l'approche de l'autre paraissait difficile, rebutante. Toutefois l'on pouvait, en navigateur avisé, découvrir une anse frêle, mais hospitalière ouvrant sur les pistes du pays profond.

Par-delà les injures et les propos blessants qui visaient uniquement à diminuer l'autre dans son enveloppe de chair, dans ses mœurs, sa langue et sa croyance, en dépit des humiliations si communes sur la plantation, il existait un point de rencontre, un carrefour des désirs communs où l'on évitait de ranimer rancœur et récrimination, pour ne rechercher que la possible entente qui laissait entrevoir une fraternité, lointaine certes, mais dont l'espérance en dessinait les formes, comme un mirage dans le désert, ou comme la ligne de crête d'une terre promise, derrière l'horizon.

Alors, l'instant d'aperture d'une sensitive, s'opérait une métamorphose ; une humanité nouvelle naissait : Blancs, Nègres, Indiens devenaient des hommes affranchis de leurs préjugés respectifs, ainsi que de la haine qui empoisonnait leurs relations.

Lorsqu'il eut atteint ce moment de la réflexion, Josaphat se sentit léger. La sensation d'oppression que lui laissait sa respiration, s'était estompée. Il eut un léger sourire de satisfaction comme s'il venait d'élucider un mystère.

L'histoire du viol des Négresses par le maître blanc lui revint à l'esprit. Il se dit que la narration des faits évoqués par Romain, avait pu s'écarter du Chemin de la vérité. Mais comment accéder à l'authenticité des faits ennuités dans le temps de l'esclavage ? Josaphat trouvait plausible que les Blancs qui cultivaient la compagnie nocturne des Négresses, eussent fini par entrevoir en elles, d'autres aptitudes féminines qui empêchaient qu'elles fussent réduites à des croupes capables d'ériger le plaisir à la verticalité d'une déferlante.

Quant aux femmes violées du récit de Romain, Josaphat les aurait volontiers métamorphosées en amantes, dès lors que le désir de l'homme blanc était parvenu à ranimer en elles, des sensations et des émotions que le fouet ou le tisonnier avaient annihilées.

Josaphat en vint à soupçonner feu Papa Roro, dont les os n'étaient plus que poussière, d'avoir donné une version toute personnelle des événements qu'il avait évoqués. Selon le vieil Indien, outre l'atmosphère de l'esclavage, ce récit véhiculait une autre vérité : le rejet de la société d'Habitation par l'aïeul de Romain. Homme des mornes, Papa Roro se sentait sécurisé par l'uniformité.

Le monde hétérogène de l'Habitation qui rassemblait Blancs, Nègres, Indiens, Mulâtres, Chabins et Métis indiens, devait constituer pour lui, un lieu de déperdition, dont il fallait hâter la fin.

Les cases ouvrières formaient un quadrillage dans l'espace d'habitation. Elles étaient toutes construites au milieu d'une parcelle rectangulaire de cinq cents mètres carrés où les travailleurs faisaient pousser un maigre jardin créole : quelques fosses d'ignames, dans l'intervalle desquelles ils avaient planté des choux-caraïbes, des choux-de-Chine, des pieds de gombo, quand elles n'étaient pas tout simplement couvertes de liasses de patates douces. Il s'agissait pour le Béké de laisser le moins de terre en friche et de permettre aux ouvriers agricoles vivant sur l'habitation, de tirer quelque subsistance du sol, sans pour autant que renaisse chez eux, une âme de paysan ou de colon partiaire, plus autonomes quant au gîte et aux ressources.

Josaphat n'ignorait pas que ces cases briquées et couvertes en tuile, avaient été édifiées exactement à l'emplacement des anciennes cases-nègres datant de l'esclavage et que leur architecture sommaire et leur alignement, répondaient au souci d'économie et d'ordre auquel obéissait la vie sur l'habitation. Il fallait habituer les travailleurs à vivre dans le dénuement et la promiscuité pour garantir à la plantation la main-d'œuvre docile dont elle avait besoin.

Josaphat se mit à penser aux cases des membres de sa famille qui s'étaient établis au quartier Roche-Carrée. C'étaient des descendants d'immigrants indiens qui, grâce à leur pécule d'engagés, avaient pu s'acheter, au terme de leur contrat de cinq ans passés dans la colonie, une terre sur ce morne qui surplombait la plaine.

Toutes les terres des familles Allamalo, Lakhsmi et Govindin, ne provenaient pas de l'effort d'épargne de leurs aïeux. Certaines propriétés, celles des Govindin, n'étaient qu'un legs fait par le Béké Jean Dupont Desrivières à Tambi Govindin, cadet de la famille qui se distinguait de ses autres frères et sœurs, par son teint l'apparentant davantage à un Blanc créole qu'à un Indien tamoul. La clé du mystère de cette naissance résidait dans le penchant que Monsieur Dupont Desrivières avait pour les domestiques indiennes.

Qu'elles aient eu deux, trois ou quatre pièces, les demeures de ces familles étaient différentes des cases de l'Habitation. Elles comportaient une véranda qui prolongeait la façade principale, à quoi elle apportait fraîcheur en même temps qu'elle augmentait l'espace offert à l'abri des intempéries.

La véranda avait pris naissance hors de l'Habitation, puisque le Béké interdisait toute modification dans la conception de la case de fonction attribuée à l'ouvrier agricole.

Cette amélioration dans la conception de l'habitat rural était due à l'émancipation du travailleur de l'espace de la plantation. Non seulement il pouvait l'agrandir de plusieurs pièces, mais de plus il arrivait à l'homme de la campagne de ceindre son logis d'une véritable galerie qui lui conférait l'aspect architectural de la villa coloniale békée.

Quelles que fussent les dimensions de la case, on la commençait toujours par un rectangle. C'était comme si, en tirant son trincart, le charpentier reproduisait instinctivement, une figure qui remontait aux premiers âges de la société et qui, à force d'être répétée, était devenue le modèle obligé de l'habitat rural populaire.

Josaphat se rappelait les descriptions que l'oncle Alikan lui faisait des temples hindous lorsqu'il se lançait dans de longues évocations de l'Inde. N'ayant rien lu ni vu de ce qui constituait le savoir du vieil Indien dont le souffle narratif semblait inépuisable, Josaphat était attentif à tous les détails qui, comme des matériaux fantasques, lui permettraient de reconstruire ces édifices merveilleux.

Ces temples lui apparaissaient grandioses comme des châteaux avec d'innombrables portes et fenêtres, des murs hauts surplombés de dômes, des intérieurs de marbre de multiples couleurs et des divinités dans des niches illuminées.

Ils ne ressemblaient en rien aux chapelles indiennes sises à l'orée des plantations et qui n'étaient qu'une simple case, couverte de paille ou de tôle ondulée, abritant les statuettes divines amenées de l'Inde.

Josaphat avait le sentiment que la vie sur l'Habitation avait dépouillé les Indiens d'une bonne part de leur savoir-faire et qu'ils n'avaient pu reproduire en cette terre d'immigration ni y adapter, leur modèle d'architecture sacrée. Tout comme ils s'étaient fixés sur la terre d'Habitation, ils s'étaient aussi résignés à domicilier leurs divinités dans une case. Cela expliquait pourquoi l'Indien Josaphat n'éprouvait aucune gêne, nulle attitude vindicative liée à une impression d'être dépossédé de sa croyance, lorsqu'il voyait des Nègres intervenir dans les cérémonies religieuses hindoues.

Qu'ils portassent des trays remplis d'offrandes destinées à Madévilin ou à Mariemen, qu'ils officiassent le sacrifice des béliers en leur tranchant la tête d'un coup sec, ou, simplement, qu'ils implorâssent une grâce sur l'intercession du pouçali, rien de leur présence au sein de la manifestation religieuse n'était de nature à les rendre indésirables aux yeux de Josaphat. S'ils paraissaient manquer d'humilité pendant la cérémonie, s'ils semblaient ne saisir du rituel que son enveloppe externe, que les aspects mystérieux, insolites qui frappaient le regard du non initié, les Nègres étaient bien acceptés au sein de la communauté hindouiste. La religion des Indiens était la seule à ne rien leur imposer. Elle n'exigeait du néophyte aucun reniement de sa foi primitive.

Par sa souplesse, elle s'était adaptée au temps et à l'espace de la société d'Habitation désertée, depuis longtemps, par les dieux nègres.

Après la cérémonie religieuse, arrivait le moment attendu du festin. Les corps se relâchaient, les visages se décrispaient. Les langues se déliaient. On baragouinait en tamoul. Ce n'était pas difficile de nommer ni les choses les plus usuelles, ni les êtres les plus chers. Le mot amma, incrusté dans le créole, était couramment employé par les Indiens pour désigner leur mère. D'autres, plus au fait du tamoul, de par leur fonction d'officiants au sein du culte hindou, s'improvisaient professeurs de langue. On était assis sous la tonnelle, à même le sol dépoussiéré au moyen d'un balai fait de tiges de tulsi. Les uns avaient gardé leur souplesse musculaire originelle et pouvaient s'asseoir en tailleur, les autres devaient allonger les jambes pour trouver une position relativement confortable ; tous attendaient que les préposés au service, des hommes vêtus de coton blanc taché en maints endroits par le curry, sentant eux-mêmes le fumet, vinssent leur servir, sur des feuilles de bananier, le succulent colombo de mouton frais agrémenté de giromon.

Que l'on fût Indien ou Nègre, Cooli des Habitations ou Mulâtre de la ville, jeune ou vieux, l'on était copieusement servi. Les Indiens mangeaient d'une main, les doigts joints en forme de fuseau.

Repu, l'on se levait avec difficulté sans bouger l'assiette de fortune. Car, en enroulant le morceau de feuille sur laquelle avait été servi le repas, on signifiait à l'hôte une insatisfaction quant à la qualité du service ; on émettait des réserves quant au dévouement, à l'abnégation qui étaient à l'origine de cette grande commensalité indienne dont les racines se trouvaient dans le profond pays tamoul, et que les descendants d'immigrants indiens avaient maintenue sur l'espace de la plantation, où ils avaient dû transcender les oppositions castiques, religieuses, culturelles afin d'assumer pleinement une identité communautaire.

Durant ce festin, cette communion, ce repas collectif, les convives avaient recouvré le ton de la confiance et du conciliabule. C'était chose rare sur l'Habitation. D'ordinaire on y avait le parler haut.

Géreurs et commandeurs adoptaient toujours un ton péremptoire à l'égard des travailleurs. Ces derniers élevaient le ton toutes les fois qu'ils s'adressaient à leurs femme et enfants. Sur l'Habitation, on communiquait par apostrophe, sommation, en hélant, ordonnant, injuriant, ou en s'exclamant. On y doutait de la proximité de l'autre, comme si, inconsciemment, on pensait être toujours séparé de lui par quelques toises de houage ou par un massif de cannes à sucre.

A mesure que déclinait le soleil, s'élevaient les rythmes du tambour-matalon. Même très lourdement lesté, on tenait à marquer quelques pas de danse indienne. Les mains sur les hanches, les pieds pointés, les jambes écartées, les genoux mi-fléchis, on avançait. Puis les bras se tendaient, les doigts se mouvaient dans une réminiscence de mudras. On s'accroupissait, pivotait pour rejoindre le chœur improvisé des chanteurs. On avait droit aux applaudissements et aux rappels.

Parfois Josaphat avait l'impression d'être empêtré dans une toile d'araignée tissée par les nombreuses histoires qui se ramifiaient dans sa tête. Il ne savait pas si elles étaient toutes pure affabulation ou, si au contraire, elles reposaient sur des faits tangibles.

Dans ce pays où les hommes attestaient leur pouvoir de se transformer en chien, chat, lapin, manicou ou en oiseau soucougnan, il était porté à considérer l'extraordinaire et le banal comme les deux faces d'une même réalité. De plus, il gravitait, selon lui, tant de récits autour de l'origine des êtres et des choses, tant de paroles comme une multitude de satellites autour d'un astre, que l'entendement s'en trouvait pris de vertige, et se laissait entraîner dans cette révolution, persuadé que la réalité n'était plus le noyau, mais la périphérie même.

L'arrivée à Beaumont de Nocin et de ses amis était annoncée à coups de klaxons et par des roulements de tambour matalon. Puis le vacarme remontait allègrement entre les rangées de cases avant de se disperser en éclats de rires. Tous rendaient visite à Patchi dont la santé se dégradait. Il n'hésitait pas à montrer sa jambe gauche enflée qu'il assimilait par un humour forcé à une igname Saint-Vincent que récolteraient les vers, lorsque sa vie aurait été cueillie. Les paroles volontiers réconfortantes que lui tenaient ces jeunes qu'il avait vu naître, n'altéraient point son pessimisme. Il se sentait au bout de son itinéraire. Vaticinant, il ajouta que le prochain samblani lui serait destiné.

Mais le vent se levait et propageait sur toute l'Habitation, l'odeur du colombo dont on n'eût pu dire de quel foyer elle provenait, s'il avait été préparé aux écrevisses, ou aux poissons de rivière. Mais l'on attribuait généralement l'odeur du poulet à Finotte, tant était réputé son art d'en ramollir la chair, d'y imprégner l'arôme du massalé, du cadichidé, du curcumin en temps record. Entre le moment où elle reconnaissait à son klaxon, la camionnette de son frère, et celui où le brouhaha s'atténuait, elle avait tué une belle volaille et faisait mijoter un délicieux colombo au fumet imposant à toutes les narines. Tard dans la nuit, l'Habitation recouvrait le sommeil. Le mois suivant on ne manquerait pas de se rendre à Sainte-Marie, au domicile de Nocin, pour le sacrifice et le festin indiens qu'il organiserait.

C'est d'ailleurs pourquoi il quittait Beaumont avec trois coqs et un bélier qu'on lui avait offerts, pour étoffer son offrande.

Parmi les gens de l'Habitation, Patchi était celui qui importait le plus à Josaphat. Il lui trouvait la même sérénité qu'il avait connue à son propre père. Jamais il ne le surprit inquiet, affligé ni en colère. Aucun événement ne paraissait pouvoir altérer son calme. Pour Josaphat il avait saisi le sens profond de la vie sur l'Habitation.

Certains jours il provoquait Josaphat par une parole sibylline, une formule en tamoul, l'espèce de clé par laquelle Patchi l'introduisait plus en amont de la connaissance du passé indien. Alors il sortait de sa réserve et partait dans des considérations qui ne revêtaient d'importance aux yeux de son disciple, que par le spectacle du maître grisé par sa parole.

Patchi regrettait de ne pouvoir accéder à l'intimité des sons, à l'essence du rythme, régissant toute vie. Seul le prêtre hindou en proie à la transe, piétinant le fil du coutelas et oraculant, parvenait à l'état de connaissance dépouillée de toute vanité. Par contre, les maîtres du verbe, tels les conteurs des veillées funèbres ou les vatialous des bals indiens, avaient perdu la parole première qui révélait la nature divine de toute chose. La prestance oratoire des uns était source de transport, et giration ivre de manège, pour l'auditoire de la plantation.

Les autres émerveillaient par leurs costumes princiers, les rythmes des tambours matalons, les mélopées, les danses et surtout leur flot de récits se déroulant en vagues de saris, des rives du crépuscule à celles de l'aube. Les conteurs créoles métamorphosaient l'Habitation békée en espace de prouesses pour Ti-jean l'Horizon et Compère Lapin. Les vatialous quant à eux transportaient les imaginations indiennes vers l'Inde fabuleuse des princes Rameru, Panderou et Dessingou qu'incarnaient les danseurs fiers comme des guerriers dans leurs costumes clinquants.

Mais pour Patchi, ils avaient perdu quelque chose d'essentiel comme un langage premier, la pierre du feu intérieur, la semence de l'arbre de vie, et qu'ils cherchaient vainement dans la nuit de l'Habitation où les uns suspectaient les autres de l'avoir récupéré à leur insu.

Toute l'existence de Patchi ne s'était pas passée sur les plantations. Il aimait rappeler que sa vie relevait de la Providence. Une partie de son enfance se déroula à Saint-Pierre sur les hauteurs de Saint-James où son père, colon partiaire, possédait une petite propriété. Ce dernier était un pouçali dont la renommée pour le sérieux de son service rituel, s'étendait bien au-delà de la région. Il officiait généralement en compagnie d'un de ses frères, Asson qui, quant à lui, interprétait et traduisait les oracles du prêtre hindou. Car il fallait un bon initié qui n'hésitât pas sur le sens de la parole tamoule révélée, empruntant la voix du pouçali pour s'adresser à ceux qui, en tête de l'assistance, imploraient une grâce. Asson était celui-là.

Il vivait dans la commune de Basse-Pointe où il était commandeur sur l'Habitation Latouche. Il possédait lui aussi des terres ainsi qu'un petit cheptel d'une quinzaine de têtes. La veille de la cérémonie déjà, il arrivait à Saint-James dans une charrette tirée par une belle pouliche noire.

Asson était le parrain de Patchi. C'est à la suite d'une cérémonie hindoue organisée chez son frère, le dernier dimanche du mois d'avril 1902, qu'Asson emmena son filleul à Basse-Pointe.

Pour le décider à l'accompagner, son parrain fit miroiter la perspective de divertissements multiples auxquels Patchi s'adonnerait en compagnie de ses cousins et cousines. Rallier Basse-Pointe en charrette constituait déjà une proposition alléchante. S'il y ajoutait les dégustations de friandises, les baignades, les parties de pêche à la rivière Capot et aussi le spectacle des lames assiégeant les chalands amarrés à l'appontement à sucre, l'invitation ne pouvait être déclinée.

Néanmoins le séjour serait bref. Non que Tambi eût besoin de ce petit Indien de sept ans pour aider aux travaux domestiques ; ce dernier n'était que le quatrième d'une lignée de dix enfants ; mais Patchi voulait regagner le domicile familial avant le vêlage de sa vache blanche. Il grimpa sur le véhicule et, au moment où il s'ébranlait sous la traction du cheval, Patchi se retourna... et adressa un namasté à ses parents qui de la cour en terre, lui répondirent par un salut de la main.

Comment aurait-il pu deviner qu'il venait d'effectuer l'ultime échange avec son père, sa mère, ses frères et sœurs ?

Toutefois il eut un rêve dont il ne saisit la signification que quinze ans plus tard. L'image d'un ver de terre sortant d'un tas de cendres de bambous brûlés dans son jardin vivrier, ranima dans sa mémoire, ce rêve qui y avait dessiné à l'encre sympathique l'emblème de son malheur.

Patchi rêvait de la maison paternelle. Il se trouvait dans la salle à manger et regardait le tableau qui était accroché au-dessus du buffet en poirier. Selon son père, ce tableau avait été ramené de l'Inde. Les tons étaient fortement altérés par le rayonnement du couchant. La scène représentait un dieu hindou vêtu de riches habits. Ses poignets étaient cerclés de bracelets d'or et de pierreries. Il portait un casque ciselé et surmonté d'une pointe.

Une grande chaînette terminée par deux énormes rubis, et trois colliers de perles lui pendaient du cou au nombril. Dans chaque main se tenait ouvert un lotus. Le visage respirait la sérénité, la paix intérieure, et baignait dans une aura lumineuse. Le dieu trônait sur un siège formé par les orbes d'un énorme serpent. Dans le rêve, le tableau semblait doté d'une troisième dimension qui lui donnait l'allure d'une niche abritant la statuette d'un saint. Soudain il se mit à vibrer contre le mur.

Patchi fixa les yeux du dieu. Ils avaient perdu l'expression extatique et manifestaient une certaine inquiétude. Alors une flamme parcourut le périmètre du cadre. Le verre craqua, l'image divine s'embrasa, le rectangle s'écrasa sur le meuble.

Terrorisé, la gorge nouée, la langue lourde, Patchi vit se dérouler l'énorme serpent. Il avait les yeux rouges et la peau cendrée. Quand il atteignit le sol, il se transforma en une longue traînée de feu qui traversa la pièce pour gagner l'extérieur.

Elle consumait tout sur son passage : métaux, pierre, bois, terre. A force de bouger, Patchi avait glissé du lit. Sa chute dissipa le cauchemar. Bien qu'il en fît le récit à ses cousins et cousines, le lendemain au moment du petit déjeuner, les événements catastrophiques qui l'endeuillèrent ainsi que tout le pays trois jours après le rêve, ne laissèrent pas à Patchi le loisir d'y repenser. Il se trouva comme arraché à l'amour de sa famille par le destin, et projeté de l'autre côté de la vie. Il n'était plus qu'un radeau pris dans un tourbillon, une yole empoignée par une lame voulant à la fois la projeter sur les brisants et l'abîmer.

L'affection que lui prodiguèrent son oncle, sa tante, ses cousins et cousines ainsi que les nombreux Indiens de Latouche, amena Patchi à tourner le dos à l'antre cendré du passé qui le fascinait, au point qu'il vivait oublieux du présent et insoucieux de l'avenir.

Peu à peu il prit goût à l'existence, partagea les joies et les espérances des uns et des autres. La communauté villageoise l'avait pris en charge, il devenait un peu le fils adoptif de chaque famille. Au contact des anciens, il fut maintenu dans la tradition hindouiste : il apprit les prières et chants tamouls, les invocations à Mariemen, Madévilin et aux autres divinités dont on sollicitait une grâce en même temps qu'on leur sacrifiait des moutons et des coqs. Par eux il approfondit la connaissance de l'histoire des Indiens et devint un dépositaire de leurs savoirs.

C'est ainsi que lorsque Patchi quitta Latouche pour travailler sur l'Habitation Ferrières à Sainte-Marie, il connaissait le secret des plantes provenant de l'Inde et qui permettaient de soigner aussi bien les animaux que les humains. Cette qualité lui valut d'être remarqué par le Béké de l'Habitation Ferrières qui possédait en outre Beaumont. Il demanda à Patchi s'il voulait bien y aller pour soigner quatre mulets qui étaient atteints de pelagre. La perspective de connaître les Indiens de Beaumont parmi lesquels il y avait un cousin de sa défunte mère, le détermina dans sa décision d'émigrer vers le centre de l'île.

Les postes à transistors commençaient à faire leur apparition sur l'Habitation. C'était le Béké qui les vendait par l'intermédiaire du géreur. En ville, il avait ouvert un grand magasin où il proposait aussi bien des réfrigérateurs, des cuisinières à gaz que des matériaux de construction. Maximilien et le comptable furent les premiers à en posséder. Puis vint le tour de Raymond, Gabélius, Rémilien et Jérôme. L'aire d'embauche de l'Habitation et les abords de la fontaine servaient alors de cadre à des conversations où les mieux informés faisaient étalage de leur connaissance des événements de l'actualité étrangère, en égrenant des noms de pays et d'hommes comme : Algérie, Afrique, Congo, Guinée, de Gaulle, Ben Bella, Lumumba, Krouchtchev à propos desquels ils fabulaient, s'aidant, faute de mieux, des résonances phoniques du mot dans leur imagination. Ces quelques postes servaient de bon prétexte à ceux comme Louis, Josaphat et Farnélius, pour aller prendre quelques secs, chez les détenteurs de ce nouveau divertissement, où ils faisaient leur apparition juste au moment des nouvelles du soir. Ils ne manquaient pas d'accompagner chaque séquence d'un compliment à l'égard de l'hôte et d'une plaisanterie qui provoquait l'hilarité et attisait leur soif.

Parfois c'était le préfet qui parlait, comme le curé en chaire, d'une voix solennelle, grave et menaçante, au sujet de la grève des ouvriers de la canne qui durait depuis deux semaines et à propos de laquelle il promettait une riposte ferme. C'est ainsi que les tracées des plantations étaient emplies du ronflement des jeeps de la gendarmerie. C'est aussi à cette occasion que Josaphat se rendit compte de l'existence de gendarmes noirs qui, dit-on, avaient fait l'Indochine et se montraient tout aussi féroces que les Blancs à l'égard des grévistes qu'ils arrêtaient. Ce fait n'était pas quotidien car les grévistes portaient des masques et ne descendaient jamais sur les plantations où ils avaient travaillé. Munis de gourdins d'épineux, de campêche ou de bois d'Inde, ils surgissaient à l'orée des cannaies, cherchaient à semer la panique parmi les coupeurs et les amarreurs, qu'ils interpellaient, sermonnaient, injuriaient, traitaient d'esclaves ou de coolis-larbins. Et, avant que ne s'abattissent leurs armes, la plantation était déserte. Josaphat quant à lui enjamba la clôture du parc à bœufs, il ne sut à quel moment, et se retrouva tapi derrière un bosquet d'épineux. Il était parcouru d'un tremblement tel qu'il ne parvint pas à maîtriser le jet d'urine qui lui arrosa les jambes. Il serait demeuré dans cette posture tant que la peur ne l'aurait pas lâché, n'eût été la voix de Fafa le bouvier, qui lui parvint dans la traînée d'un cliquetis de chaîne.

Assis dans la savane, Fafa regardait les merles s'affairer autour d'un morceau de ver de terre. Il les trouvait si légers qu'il ne manifestait aucun enthousiasme à les piéger. Pour lui, l'expression dérive-merle par laquelle l'on traduit l'errance de certaines personnes sur l'Habitation, prenait toute sa signification quand il envisageait l'instabilité et la pétulance de ces oiseaux. Quant à leur effronterie, elle n'avait d'égal que celle des jeunes femmes se livrant à une provocation quotidienne à l'égard des vieux travailleurs célibataires auxquels le géreur avait retiré l'une des deux pièces qu'ils occupaient, si bien que toute une rangée de cases situées au fond de l'Habitation était occupée par ces hommes hâves, au teint plombé, et dont la peau luisante dans la pénombre, avait l'inconsistance du fruit à pain doux qui gardait l'empreinte des doigts. Le remugle de la paillasse posée sur un vieux grabat, et l'odeur de moisissure caractéristique de l'intérieur de leur case sombre et humide, les suivaient dans tous leurs déplacements et même quand ils revenaient de la fontaine.

C'est d'ailleurs en ce lieu que ces jeunes femmes aimaient se livrer à leur provocation favorite.

Que de fois elles ont proposé à Fafa une rencontre nocturne, une partie de délices comme il n'en existe pas au Paradis céleste ! Mettant en évidence le triangle d'extase par une brusque pression sur la robe au niveau du pubis, elles l'invitaient à venir l'examiner, voire le jauger, de sorte qu'il n'allât pas dire qu'il s'agissait de toc ou d'ânesse maquignonnée.

Et Fafa demeurait cassé sur le robinet, davantage pour cacher sa confusion que pour ses ablutions, marmonnant des paroles sourdes dont le sens serait d'exorciser cette tentation de diablesse. Mais un dernier souffle lui circulait dans les veines en étiage, lui irradiait le corps et imprimait une dernière pulsation à son sexe, l'incitant à sortir de sa réserve. D'un coup de main fébrile, rapace et rageur, d'un bon d'anoli sur une mouche, il empoignait cette chair jeune et alléchante pour l'emporter dans l'antre de ses fantasmes pour s'en délecter à belles dents. Alors d'un brusque recul, la belle esquivait l'attaque et enchaînait par un caquètement amplifié par ses compagnes dont on eût dit des poules à qui on aurait attaché une boîte en fer blanc à la queue afin qu'elles rejoignent le nid marron où elles pondent à la satisfaction des mangoustes et enfants du voisinage.

Puis confus et bouillant, ramassant ses calebasses, Fafa assénait du regard un coup de toise à ces maudites femelles, faisait éclater un juron et prenait le sentier de sa case où il maugréait contre cette farce dont il tirait quand même une jouissance fantasque pour dissiper sa déconvenue.

Cette fois-ci aucune d'entre elles ne lui échappera, il les sautera toutes les unes après les autres et sans rémission. Cependant le sentiment pénible qu'il ne valait plus grand-chose puisqu'il était la risée des enfants et des femmes, ne le quittait pas. Il était père de deux enfants et avait traversé la vie de quatre femmes successives dont Mademoiselle Jeannette, chabine du quartier Choiseul. Il avait failli l'épouser n'eût été la mère de celle-ci qui tenait épicerie et bistrot et avait constitué l'obstacle majeur à cette union. Elle n'aimait pas les Coolis, les suspectant tous de glisser un jour ou l'autre dans la déchéance comme on tomberait dans un dallot. Ces paroles qu'on lui avait rapportées causèrent une telle indignation à Fafa qu'il rompit brutalement la liaison si bien que Mademoiselle Jeannette qui n'était que rondeurs devint peu à peu comme une aiguille.

Ah ! si au moins il pouvait se dédoubler et s'introduire où il désirait, c'est volontiers qu'il se tapirait minuscule, sur le rebord de la bassine, au moment de la toilette de ces belles !

Par endroits, le passage rétrécissait au point que Josaphat éprouvait de fortes bouffées de chaleur et des picotements sur tout le corps à l'idée qu'il pourrait être pris d'une défaillance le faisant chuter du haut de la falaise et se retrouver cadavre dans la rivière à la grande satisfaction des lapias, des rats et des mouches, comme le cochon que Suzanne y avait jeté.

Il eut du mal à se dépêtrer de la végétation broussailleuse où lianes et arbustes à la sève forte comme la sueur adolescente, avaient effacé le sentier qui longeait le canal-moulin. Il s'arrêta sous un énorme sablier dont la sénescence du tronc était si avancée que l'écorce s'en détachait par plaques épineuses rappelant la jambe eczémateuse qui tira défunt Joanem sous terre.

Il se frotta les avant-bras boursouflés par des orties-nègres, avec trois feuilles d'espèces différentes qui tempèrent l'intensité des démangeaisons. Il hocha la tête : l'arbre n'était guère plus vaillant quant à son ombrage. Il laissait passer à travers la ramée - qu'on eût dit atteinte d'une étrange pelade -, de grands pans de ciel telle une charpente oublieuse de sa couverture. Qu'était-ce ? Un gangan sur la cime de l'arbre, appelant une pluie incertaine et dont le chant rauque et désabusé fut interrompu par la chute d'une pomme sèche de sablier éclatant dans un bruit de paille froissée.

Josaphat se retourna comme pour repérer l'endroit où était tombé l'objet, mais il lui aurait fallu aller le chercher dans les halliers d'orties-liantes et de roseaux touffus, ce qui aurait ravivé l'irritation de sa peau. Il y renonça. Que de bons moments étaient associés à ces carpides !

Nettoyés puis enveloppés dans un vieux chiffon, ils devenaient des coqs de combat et constituaient un divertissement favori pour les garçons de l'Habitation. Aveuglés par la passion du jeu, certains étourdis comme Gabélius se servaient à défaut de chiffon, du bout de leur chemisette qui inévitablement se déchirait sous la violence des coups de bec.

C'était là une faute grave, sanctionnée par une rossée de rameau vert de tamarinier dont les propriétés dissuasives restaient sans effet.

Josaphat reprit son cheminement le long de la voie ferrée dont il se méfiait tant pour les clous saillants comme des chicots que pour les arêtes des rails rouillés recouverts de lianes amères. S'étant courbé pour franchir la clôture de fils barbelés qui longeait la rivière, il éprouva de vives douleurs aux reins et s'empressa de se redresser. Cette propriété incluait l'ancienne digue remblayée et le parc à mulets dont la carcasse métallique grinçait sous le souffle du vent.

Josaphat s'imagina que le propriétaire survenait et l'interpellait sur les motifs de sa présence sur son terrain. N'ayant guère de goût pour les disputes ni le sens des réparties, cherchant plutôt les paroles qui raccordent que celles qui repoussent, il s'avoua sa confusion quant à son incapacité à trouver une réponse péremptoire. C'est alors que lui revint le visage de sa mère, éclairé par la lueur du lumignon en fer blanc dont le grésillement de la flamme, faisait bouger l'épaisse pénombre, comme un rideau lugubre derrière lequel allaient s'embusquer les personnages, que son imagination d'enfant faisait sortir des histoires qu'elle lui racontait.

Aux créatures diaboliques qui entravaient leur chemin et les questionnaient énigmatiquement sur les raisons de leur présence nocturne en pareil lieu, certains d'entre ces personnages répondaient simplement qu'ils ne faisaient que passer. Qu'y avait-il de désarmant dans ces paroles, ces évidences, pour qu'une fois prononcées les maîtres de la nuit libérassent la voie ? Josaphat ne sut si la clé résidait dans leur ingénuité que rendaient à merveille les inflexions de la voix maternelle enveloppée dans un cocon d'anxiété comme un papillon oublieux de son envol, ou si ces personnages, dont les nombreuses mésaventures n'avaient pour cadre qu'un obscur chemin, n'exprimaient que leur condition réelle de gens errants n'ayant pour espace légitime que des sentiers inlassablement cadastrés par la plante des pieds.

Comme eux, il répondrait qu'il ne faisait que passer.

« Tu quittes l'Habitation et arrives à la grand'route. Le vent change soudain. C'est un grand corridor entre les massifs de verdure. Tout semble subitement étranger. Ton corps change, tes narines reniflent comme naseaux de coursiers au galop. C'est comme si tu atteins la côte et avises l'étendue marine qui déroule devant toi son tapis d'écumes jusqu'à l'horizon.

L'embrun te rafraîchit les tempes juste assez pour dissiper le vertige qui tend à te posséder. Est-ce d'avoir d'un coup, trop d'iode dans les poumons, trop de champ pour ta vue ordinairement masquée par l'écran végétal, et trop d'espace à tes pas enlacés dans leurs sentiers ? Gens forcés aux vents des migrations et qui une fois débarqués tournent résolument le dos à la mer ! Comme si tes borborygmes renflouent des relents d'amères traversées enfouies telles des épaves. »

Mieux que parler, Josaphat préférait se laisser emporter à la dérive par le flux des pensées muettes rythmées par son souffle qui se faisait haletant quand les souvenirs étaient amers et lui ramenaient, telle une noria d'un puits tari, des effluves fétides qui lui remontaient des entrailles. D'autres fois, il respirait à l'aise comme à la rosée de l'aube, et alors, ses yeux s'illuminaient tandis que se dilataient ses narines aussi grandes que les naseaux de Mirabelle, la jument du Béké, savourant sa musette d'avoine au sirop de batterie.

Josaphat s'enfonçait dans une rêverie de plus en plus profonde qui le transportait hors du monde, pareil à l'enfant qui, las de pleurer, s'endort sur le seuil de la case et que l'on emporte, le visage poisseux de bave, de morve et de larmes vers un lit fait d'une peau de bélier - ultime vestige d'un baptême, et de hardes blanchies avec du savon de Marseille et des oranges sures.

C'était un lieu de vacuité immense dont il se méfiait au début, à la manière de cet enfant qui craignait de s'aventurer hors de son lit en peau de bélier pour appréhender la forme qui, dans un coin de la pièce, l'intriguait assez pour qu'il poussât de petits cris allègres et gesticulât des pieds et des mains en se berçant sur son socle ventral ; ou bien de ce jeune homme de dix-huit ans qui hésitait à bisser son punch-sec, tant fut inopinée sa griserie, mais voulant néanmoins réussir ce test de virilité, ferma les yeux, se contracta pour l'avaler d'un trait avant d'éteindre d'un verre d'eau, ce feu qui lui dévorait les entrailles tant que l'habitude ne s'était pas installée et qu'il eût pu aligner huit à dix secs sans crispation.

C'était ce passage pourtant si aisé à franchir qu'on dirait imperceptible, mais qui lui causait tant d'appréhension, que parfois il s'efforçait de maintenir les yeux écarquillés afin d'éviter toute torpeur qui le ferait vaciller dans une demi-inconscience où il avait l'impression d'être une chambre d'échos amplifiant des éclats de voix de rogomme, de conversations, de disputes, d'admonestations et d'injonctions, trop confus pour qu'il pût en identifier les locuteurs mais assez sourds pour qu'il les apparentât à des voix défuntes.

Depuis que le Béké ne résidait plus sur l'Habitation, le géreur s'y sentait à l'aise comme Blaise ; il disposait de Simonet comme palefrenier, Robinson était affecté à l'entretien de son bétail et de son jardin vivrier et Samuel était son boy.

On ne pouvait plus faire paître d'animaux sur les jachères. Il se réservait ce droit pour son seul bétail. Quant aux restes de bananes vertes résultant d'une livraison, il dépendait de son humeur que les gens du hangar puissent disposer de quelques pattes.

De même il lui arrivait d'arrêter un enfant portant sur la tête une botte de lianes destinées aux lapins et de lui demander de l'ouvrir, voulant s'assurer qu'il n'avait rien volé dans la bananeraie. L'important était qu'on le reconnût comme l'homme le plus important de l'Habitation ; celui qui n'avait de compte à rendre qu'à Monsieur Lapointe qui d'ailleurs lui manifestait une confiance que nul ne pourrait lézarder : Il était l'homme à flatter mais à toujours craindre.

Quand la nuit était tombée, une brise qui fait murmurer le feuillage des cocotiers ou vibrer quelque feuille de tôle mal clouée, un ébrouement du cheval dans l'écurie, ou un beuglement de veau réclamant un surplus de mamelle, un chien errant qui espère trouver au bout de la trace de sueur le conduisant aux abords de l'aire d'embauche des restes de nourriture, toute effraction au silence, tout signe de vie lui étaient suspects ; non qu'ils pussent être les manifestations de forces maléfiques venues de l'autre rive ou par la grand-route, mais simplement, celles des travailleurs qui n'osaient pas rechigner devant la tâche et attendaient la nuit pour s'opposer à lui. Il les sentait derrière l'épais voile de l'obscurité, moqueurs et jubilants mais se gardant de montrer les dents, sachant fort bien ce qui les attendait s'ils allaient jusqu'à se manifester sous quelque forme visible.

Mais durant le jour, une branche sèche trouvée sous les orangers, un rat, une chauve-souris crevés ou simplement un crapaud ventre en l'air, tout corps végétal, tout animal mort étaient sujets à caution. Le géreur les percevait comme les manifestations occultes des travailleurs : ces Coolis et Nègres que le Béké et lui faisaient vivre, mais qui étaient tous des traîtres et des lâches en puissance qui n'hésiteraient pas une seconde, s'ils pouvaient, à attenter à sa vie et que leur impuissance rongeait en silence. Ils savaient que son canari était suspendu trop haut au-dessus de leurs narines, et qu'il ne leur ferait pas non plus l'honneur de vider avec eux un verre de rhum, même sur le comptoir de sa femme. Mais il les avait à l'œil et ne manquerait pas, le moment venu, de leur faire comprendre ou roucler - et on le voyait, le regard à l'abri du casque kaki, juché sur son cheval, qu'il avait du mal à immobiliser et qui tirait sur la bride, tournoyait sur place et cherchait parmi les cailloux quelque chose à brouter. Il vociférait et gesticulait devant une assistance de femmes graves dans leur tenue tavelée de sève-bananier, d'hommes silencieux, attendant d'emboîter le pas aux commandeurs, dans la tracée des tâches.

Quelle manie de traîner dans l'enfance, d'adopter un ton fluet, comme si le géreur sur son cheval était ton père ou ton beau-père, et que te donnant de l'embauche, il t'ordonnait d'aller lui acheter vingt centimes de cigarettes et une roquille de rhum à l'épicerie ? Et tu baisses les yeux jusqu'aux étriers ; de même que, penaud tu serais revenu vers la case parentale, un doigt dans une narine, balbutiant que la bouteille s'était cassée. Seul un bon sec pouvait atténuer les douleurs de la journée, en ce crépuscule lourd de sueur et de poussière ! Et tu savais que le rameau de tamarinier qui perdrait sa verdeur sur ton dos, t'apprendrait qu'à six ans, on ne laisse pas une roquille de rhum se casser quand, vers cinq heures de l'après-midi, le vent chargé d'odeurs de récolte, emporte vers le couchant le cri des merles, ceux-là même que tu vis traverser ce matin dans la direction des plantations en même temps que les travailleurs des autres quartiers qui ponctuent leur passage derrière la case de ton père par un bonjour franc mais hâtif comme aiguillonné par l'imminence de la cloche qui, du tamarinier annonce sept heures.

Et toute une colonne en guenilles tête nouée ou chapeau bakoua, couleur de feuilles mortes, se disperserait sous les bananeraies, dans les tracées herbeuses, escortée de trois chefs d'équipe. De temps en temps des jurons perceraient comme des flèches, la voûte des rangées de bananiers.

Ce serait Maximilien, l'autre chien du géreur, qui viendrait surprendre, en train de s'alimenter à neuf heures du matin, John, le jeune Sainte-Lucien casé à côté de Patchi. Il le menacerait d'en rapporter au géreur parti du côté des petites-bandes où, parmi les femmes épandant l'engrais, il irait aborder Nelly, cette jeune femme dont le mari prit le bateau pour la France et oublia sa plume, si bien que deux de ses enfants ont grandi sans connaître la forme de son visage. Et les femmes savaient que vers dix heures trente, simulant un besoin pressant, Nelly poserait son tray, gagnerait le bord de la rivière, puis au craquement de paille et de brindilles sèches, se retournerait et apercevrait, non quelque Nègre marron, mais le géreur.

Cependant que ses compagnes de travail s'en donneraient sur son compte jusqu'à uriner de joie, la traitant de vicieuse et de bien d'autres choses, certaines extralucides rendraient compte du déroulement de la rencontre comme aux premières loges, d'autres telle Charlotte en mimeraient les temps forts. Retroussant leur manche droite, elles exhiberaient un bras d'honneur qu'elles feraient vibrer, alors qu'elles pousseraient un braimment de bourricot et s'exclameraient que les diarrhées se soignaient avec non pas les bourgeons, mais du bon bois de goyavier, ce que rectifierait Pierrette en précisant qu'il ne s'agissait ni de goyavier ni d'ébène mais du bois d'Inde, appréciation que personne n'aurait voulu mettre en doute.

Les images du passé émergeaient comme les volutes d'un four à charbon dans l'orée du jour.

Une à une, elles sortaient du même creuset sans lien apparent. Mais Josaphat était sûr qu'elles se référaient toutes à la vie des siens, et à cette terre dont il tentait vainement d'y dégager son origine, comme le sucre terré de sa gangue. Certes les récits par lesquels sa mère évoquait l'arrivée des Indiens dans l'île l'intéressaient tant par leur contenu que par la douceur de la voix maternelle. Mais il ne parvenait pas à y enflammer son imagination, y déplorant une carence en notations pittoresques et nécessaires à un rapprochement entre ce lieu original qu'il ne pouvait situer à partir d'aucune pointe de l'île, et l'espace d'Habitation où se côtoyaient Indiens, Nègres et Békés.

C'était comme un lasson réduit à l'eau safranée du mandia.

Davantage que pour la vie antérieure de l'Habitation, la mémoire de sa mère se montrait défaillante quand il s'agissait d'évoquer le passé indien.

Le souvenir se rétractait comme un crabe-cirique dans son trou.

Elle expliquait leur présence par un enlèvement, un rapt dont auraient été victimes leurs aïeux dans l'Inde. Il y a de cela très longtemps et les cases, alors recouvertes de paille-canne, étaient entourées de lattes de bambou renforcées de bouses séchées. Les Indiens avaient été invités à une fête sur un navire illuminé de tous ses feux dans la rade de Pondichéry.

On leur avait servi des boissons et des mets contenant une drogue. Ils furent ensuite amenés ici pour travailler la canne. C'était après l'esclavage et on dit que les Békés manquaient de bras sur les Habitations. Parfois elle donnait une nouvelle version des faits. On avait promis de la terre aux Indiens. Une terre docile et généreuse qui se trouvait ici, derrière l'horizon, à l'autre bord de l'océan. Ils la recevraient d'abord en colonage puis au bout de quelque temps, ils en deviendraient propriétaires.

Son histoire était tout cela à la fois ; elle ne faisait qu'en trier les épisodes qui ponctuellement lui permettaient de pallier ses frustations devant la défaillance de sa mémoire et de celle des aînés.

Dans tous les cas, Josaphat voyait l'abus de confiance manifeste, l'escroquerie, le rapt d'hommes et de femmes. Mais à sa grande déception, sa mère ne pouvait jamais lui révéler l'identité de ces naufrageurs de bateaux d'Indiens au milieu des plantations de l'île. Il se disait qu'il y avait toujours eu une épave de navire enfouie dans la mémoire du pays.

Un navire où les uns avaient occupé les postes de commande et les autres les fonds de cale, un navire ne connaissant que la route des îles, oublieux des vents du retour. Ces histoires étaient prolixes au sujet des événements et circonstances mais étonnamment muettes quand il s'agissait de l'identité des personnages.

Tant de tribulations, d'humiliations et d'atrocités dont les auteurs bénéficiaient d'un anonymat total dans la mémoire collective. Cette indulgence du temps de l'Habitation à leur égard s'apparentait à la mansuétude d'une mère qui préserve l'entente entre les générations par l'évacuation de drames ayant jadis divisé la famille.

Josaphat se mit à penser à l'angoissante énigme des figures du mal qui ornaient la galerie fantasmagorique des gens de l'Habitation. Qu'il s'agisse des zombis, guiablesses, gens-gagés, dorlis, tous étaient des métamorphoses d'une même réalité humaine. Mais il n'en avait jamais vu sous les traits véritables d'un Indien, d'un Nègre, d'un Chabin, d'un Mulâtre voire du Béké.

Le mal se déguisait, drapé du manteau de la nuit, il se tapissait derrière l'horizon. Il était d'un ailleurs sans repères, quelque part entre la sangle d'écumes ceignant l'île et le cercle de l'Habitation. Il fallait donc se méfier de tout ce qui paraissait insolite : plantes, bêtes comme hommes, tout ce dont on doutait du nom, de l'origine et de la fonction.

Toute la misère des siens relevait non d'une malédiction de Dieu mais de la cupidité et de la méchanceté des autres, ceux-là que le temps et l'oubli avaient désincarnés mais qui revenaient, agents de la crainte et de l'angoisse, fomentateurs de cauchemar même dans la douleur des corps. Ils investissaient tout, l'eau, l'air, les plantes.

Tout comme la rutilence des mots pouvait induire en vanité savante et leur doublure ouvrir l'intimité de la vie, l'ordre du monde était lui aussi régi par un double mouvement où l'illusion de la réalité pratiquait l'imposture et où la réalité elle-même se rendait complice de l'imagination. Ainsi ces grands flamboyants au chef ensanglanté mais ombrageant de longs coutelas sombres de ressentiments.

Josaphat se plaisait à errer entre l'évocation d'un souvenir ou d'un autre qui faisaient irruption dans le champ de sa mémoire et qu'il pistait comme le sillage d'une coque avant qu'une vaguelette ne la remblaie.

Il secoua la tête afin de se dégager de l'emprise de la rêverie. Par ce geste, il exprimait aussi de la réserve à l'égard d'une relation de faits passés qu'il jugeait trop fantaisiste, trop proche du conte.

Cependant son attitude critique n'entamait pas la vénération dont il se sentait redevable aux aînés.

Qu'il se fût trouvé en leur présence, il n'aurait pu les contredire, même étant adulte. Il n'aurait opiné que par des gestes ; leur laissant le bénéfice de la parole.

Entre la terre et l'homme s'était installé un silence.

Comme si la houe, levée à hauteur de bacoua s'était figée dans une pétrification statuaire. Entre la terre et l'homme, un grand vide planait, vol lugubre de charognard au zénith-carême.

Et le morne avait l'allure d'un amas ocre de poussière que la saison des pluies ferait fondre en un canal rouge. Déjà, nul appel ne partait de l'usine qui se prostrait derrière une palissade d'arbustes épineux, et dont la défroque en tôle rouillée s'émiettait sous le souffle des bourrasques et l'action des riverains en quête de matériaux de fortune. Elle laissait voir, ruinés par la mort de la canne, son moulin à la denture cassée, ses tuyères, ses chaudières crevées. Et sa cheminée inerte, donnait à l'ensemble de la ferraille, l'allure d'un vapeur en échouage.

Un après-midi de carême, semblable à une meute de chiens faméliques en errance dans la campagne, la rumeur fut dispersée.

Les gens de l'Habitation se passaient la nouvelle comme pour un avis de décès. Elle avait fait ricochet de bouche à oreilles et franchi le cercle de l'Habitation. On vendait. On vendait. On allait vendre.

Mademoiselle Charlotte la lui avait apprise.

Josaphat l'avait rencontrée qui venait de l'épicerie. Cette fois-ci elle s'était redressée. C'était comme si elle avait oublié les courbatures et rhumatismes dont elle se plaignait lorsqu'elle rencontrait un proche sur son chemin. Elle avait fière allure dans les vieux souliers d'hommes qu'elle traînait d'ordinaire.

On vendait. La case revenait à ceux qui l'occupaient. Ceux qui voulaient un plus grand morceau devraient emprunter auprès de la banque. Elle n'aurait pas de difficulté. Son fils qui vivait en France lui achèterait sa case en même temps qu'il ferait l'acquisition de celles qu'occupaient défunt Joanem et John le Sainte-Lucien.

Les jours d'après, l'Habitation sembla recouvrer l'animation des périodes d'activité agricole. Un défilé incessant de voitures maintenait un nuage de poussière permanent dans la voie principale. Josaphat était impressionné par la variété des modèles et des marques. Les visages des conducteurs aussi lui étaient inconnus. Ils appartenaient vraisemblablement au monde du bourg et de la ville. Il s'était amusé à leur attribuer une profession en fonction du véhicule qu'ils conduisaient. Les conducteurs de bâchées faisaient du commerce ; dans les petits et moyens modèles il y avait des fonctionnaires, quant aux grosses cylindrées, elles ne pouvaient appartenir qu'aux gens de la Banque ou aux avocats.

C'était toujours en fin de journée que ces visiteurs apparaissaient.

Josaphat se souvint d'une fois où une grosse automobile couleur bleu métalisé s'était arrêtée à sa hauteur alors qu'il se rendait à l'épicerie de Finotte.

Un homme en était descendu. Il portait une cravate beige, une chemisette marron clair et un pantalon marron foncé. Ses chaussures étaient aussi lustrées que ses cheveux noirs. Ses lunettes à monture en métal et sa grosse chevalière étaient assorties à la couleur de sa peau. Son parler créole paraissait feutré, délicat. On aurait dit la consommation d'un carreau de fruit à pain huilé dans une assiette en porcelaine. Il s'était assuré auprès de Josaphat qu'il se trouvait bien sur l'Habitation Beaumont où l'on vendait de la terre, car lui aussi voulait acquérir un petit bout. L'expression « petit bout » avait amusé Josaphat. Elle le ramenait à l'époque où l'usine vivait. Le Béké avait surpris Jean-Robert, ouvrier du magasin, s'en allant avec un demi-sac de sucre. Confus Jean-Robert avait expliqué qu'il voulait s'en faire un petit marc-doux. Et le Béké mi-amusé avait répliqué que dans le cas d'un gros marc-doux, Jean-Robert serait parti avec l'usine.

Beaucoup de pères et mères de famille s'étaient trouvés au chômage ou n'obtenaient que deux jours d'embauche par semaine. Même la femme du géreur se plaignait de la situation. Les maigres revenus des travailleurs dont les comptes étaient fortement débiteurs, ne suffisaient pas à compenser le temps qu'elle passait devant son comptoir à endurer l'odeur de guildive, de salaison et la sueur fétide des travailleurs. Elle prit la décision de fermer définitivement l'épicerie après qu'un soir, on l'eût cambriolée en passant par le toit en tuiles. On lui avait dérobé du riz, des haricots rouges, du porc salé, de l'huile, des boîtes de lait sucré, de pâté, des sardines ainsi que des saucissons. Une fois arrivés sur les lieux, les gendarmes avaient estimé que les voleurs devaient se trouver dans les limites de la plantation et qu'ils ne tarderaient pas à leur mettre la main dessus.

Le géreur et son épouse se sentaient rassurés par cette présence de l'ordre en short kaki. Le ronflement de la jeep intriguait toujours les casés qui ne tardaient pas à s'informer du motif de son irruption de plus en plus fréquente sur l'Habitation, où un vol de bétail, une rixe les attiraient, bien qu'il fût recommandé aux hommes d'aller régler leurs différends aux abords de la grand-route, hors des limites de la responsabilité békée.

Ce fut durant cette période que les fils de Mestry partirent travailler en ville. L'un comme docker, l'autre comme manutentionnaire dans une grande quincaillerie. Et quand certains dimanches et jours fériés ils revenaient sur l'Habitation, ils faisaient l'admiration des vieux, l'envie des plus jeunes et la fierté de leurs parents pour avoir franchi inexorablement le cercle de l'Habitation et avoir pénétré le monde de la ville. Ce fut d'ailleurs à la même époque que les Mestry quittèrent l'église pour le temple. Le soir on entendait monter de leur case le plein chant essoufflé des cantiques entonnés dans une langue qui sans l'être tout à fait, ressemblait à du français. Si bien que l'on était en droit de se demander sans ironie ni sarcasme à quel moment et en quel endroit le père Mestry avait pu apprendre tant de français, lui qui ne sortait de l'Habitation que le dimanche et les jours de fête paroissiale. Le reste du temps, le père Mestry le passait entre sa case, son jardin vivrier et la savane où il élevait des bœufs.

L'importance de son bétail lui avait conféré de la respectabilité de la part des gens de l'Habitation ainsi que du géreur, son neveu.

Qu'on l'eût appelé Maître Mestry ne le dérangeait nullement ; il pensait inspirer à ceux qui l'investissaient d'une pareille notabilité, un sentiment mêlant sagesse et puissance.

S'il pouvait rompre le cercle de l'Habitation, Josaphat se déployerait dans une géométrie triangulaire. Pour lui, cette vision de l'espace offrait l'avantage de dessiner des perspectives autres que celle de la plantation qui, lieu de réclusion, induisait en errance, en dérive et en déraison.

Il déplorait cette tendance si répandue, de réunir les gens de l'Habitation en des couples dépareillés tels Cooli et Nègre, Nègre et Blanc, Cooli et Béké. Il en vint à préférer au chiffre deux le nombre de trois. Est-ce pourquoi il se plaisait à promener son imagination de l'Habitation au morne et de ce dernier à la mer, comme autant d'espaces qu'il intégrait à son domaine fantasque ? Pourtant l'image marine, longtemps, fit remonter en lui la sensation de nausée qui semblait naître du souffle oppressé qu'il s'évertuait de ne point irriter par quelque brusque inspiration pouvant déclencher quinte de toux grasse et expectoration douloureuse. Ce trouble du corps semblait se métamorphoser en un ressentiment qui émergeait d'un abîme intérieur et venait lui gâter l'humeur.

Il n'était pas loin de six heures du soir, le soleil se tenait juste au-dessus du faîtage métallique des villas. Elles quadrillaient les anciennes plantations : L'Acajou, La Fertilité et Fonds d'Or où avait poussé le lotissement L'Espérance. Il lui apparaissait immense et imposant. Certaines villas pouvaient égaler en surface la maison coloniale de Monsieur Lapointe, que les casés de l'Habitation appellent communément château. La plupart d'entre elles se dressaient sur des pilotis et s'élevaient sur deux ou trois niveaux avec parfois des ouvertures au toit. Qu'elles fussent en tôle, en béton ou en tuiles, les toitures se présentaient rarement en deux pentes. Le plus souvent, elles étaient d'une conception plus complexe ; en quatre à six pans, ce qui laissait Josaphat ébaubi à s'imaginer dans si vaste logis.

Mais quand il promenait son regard sur l'extérieur des maisons, il les trouvait très ressemblantes dans leur décoration. Bien qu'elles n'eussent pas toutes une roue blanchie de cabrouet ou de charrue, un morceau de chaudière à vesou ou une grande jarre délicatement posés sur le gazon, elles alignaient les mêmes haies d'hibiscus et de lauriers.

Un peu en retrait se dressaient des bosquets de bougainvillées blancs, roses, rouges, abricot, mauves, des touffes d'oiseaux de paradis qui aventuraient un bec doré par les mailles du grillage, et, de part et d'autre d'une allée en ciment bordée de poinsettias et de lavande rouge, des rangées de cocotiers, puis de greffes de mangues Julie, de bassignac, et d'agrumes sous lesquelles se prélassait une paire de mâtins racés et gras.

En redescendant la servitude dans laquelle il avait débouché, Josaphat pouvait regagner la case en tôle ondulée que son cousin Raymond lui édifia dans l'enceinte de son enclos à bétail.

Une brise chargée de cris d'oiseaux souleva un voile de poussière et fit choir une pluie de fleurs-glyricidias qui transformèrent les bas-côtés du chemin bétonné en deux tapis aux motifs blancs et roses. Josaphat respira fortement l'odeur des glyciridias qui emplissait l'atmosphère. Il lui parut trop tôt pour rentrer chez soi. Il poursuivit vers le couchant en direction de l'épicerie de Finotte sur la grand-route. Il y achètera une boîte de corned-beef, une livre de pain et une roquille de rhum. Il ne s'attardera pas longtemps à cause de la nuit qui tire vite sa bâche, mais surtout par rapport à Venance qui se montre de plus en plus jactant et insultant depuis qu'il travaille comme porcher pour le compte de Monsieur Auguste.

Ce Venance se livrait à de mauvaises plaisanteries comme de lui faire tomber le chapeau ou encore le lui enfoncer d'une violente pression de main, jusqu'à la hauteur des yeux.

D'autres fois, Venance le traitait de Cooli impuissant qui n'aurait rien à servir à une femme, ce qui le faisait suffoquer de colère et l'obligeait à quitter l'épicerie avant même d'avoir étanché sa soif.

Bien que la voie cimentée qui desservait les villas constituât le plus court chemin pour rejoindre l'épicerie, traverser le nouveau lotissement qui avait germé de la plantation Fertilité, ne réjouissait pas Josaphat. Habitué à la discrétion des sentiers et des tracées, il avait la sensation d'être à découvert comme lorsque Gabélius lui avait rasé la tête sous le tamarinier, et que la coupe lui donnait l'air d'un moine tonsuré, un saint Benoît tel qu'il apparaissait sur la stèle, derrière le maître autel de l'église.

Il avait l'impression d'être en ce moment un objet de curiosité révélé à l'attention des riverains par les aboiements rageurs des bergers allemands et de dobermans qui s'élançaient jusqu'à la clôture bordant de chaque côté la voie au milieu de laquelle ils semblaient vouloir l'y maintenir, comme refoulé vers une médiatrice de démarcation.

Ne pouvant calmer l'agressivité des mâtins, dont les aboiements en laisse le dérangeaient surtout parce qu'ils attiraient l'attention des riverains sur lui, il fit demi-tour et, quittant la voie, se mit à longer la bananeraie de Monsieur Sainte-Rose.

Josaphat dut se frayer un passage au milieu d'une herbe-para qui lui arrivait au visage. Il se promit de la couper le lendemain pour les bœufs de Raymond. Ce dernier viendrait la charger dans la camionnette. De temps en temps Josaphat éprouvait de légères brûlures que lui occasionnaient aux chevilles les épines de sensitives et les touffes d'herbe-couteau. Parfois il se prenait les jambes dans des lianes cordes-à-violon ; il trébuchait, chutait et poussait des jurons avant de se relever.

A mesure que Josaphat se rapprochait de la grand-route, l'espace herbeux s'élargissait. Maintenant ce n'était plus la bananeraie qu'il longeait mais une parcelle de terrain vague où ruminaient de manière rassérénée deux vaches et un veau. Devant lui se précisait la silhouette massive d'un figuier-maudit qui bordait le terrain non bâti. Avec la fin du jour, l'éclat et la verdeur de son feuillage commençaient à s'estomper.

Enorme, le tronc était fasciculé de racines roides comme des colonnes. Elles s'arcboutaient avant de s'enfoncer dans le sol, dessinant une galerie circulaire qui servait d'abri à une grosse truie et à sa huitaine de pourceaux.

Dans la ramée, une colonie de merles s'étaient établis et couvraient de leurs chamailleries crépusculaires, les bruissements de la multitude d'insectes que l'imminence de l'obscurité mettait en éveil.

Josaphat jeta encore un coup d'œil sur le tronc avant de contourner l'arbre par le pré. Il se souvenait du jeune prunier-mombin qui poussait en cet endroit avant que le figuier-maudit n'eût dans sa fixation épiphyte, étouffé et absorbé tel un boa, le jeune arbre tutélaire.

Josaphat poursuivit sa marche vers la grand-route. De nouveau il longeait la bananeraie. Le remugle de la paille piétinée se mêlait au parfum de bananes mûres et à l'odeur d'engrais récemment épandu. Il renifla, se râcla le fond de la gorge et cracha. Il prendra un punch-sec sur le comptoir de l'épicerie, quand même.

Le ronflement des moteurs s'intensifiait. De hautes herbes-para et herbes-couteau couvraient le fossé qui séparait la plantation de la chaussée. Ne pouvant le franchir d'un bond, il empoigna une touffe d'herbe et s'y laissa glisser. Une fois au milieu du fossé, il s'agrippa à une autre touffe et s'élança sur la route. Ses genoux fléchirent. Il n'eut pas le temps de se redresser ; la camionnette bâchée arrivait à vive allure. Il se sentit projeté. Le bruit du véhicule se renversant dans le fossé le fit tressaillir. C'était comme si un arbre à pain se fracassait sur sa case en tôle. Il avait peur.

Une douleur insupportable, des membres inférieurs au bassin, l'envahit. Il ferma les yeux. Alors il entendit des éclats de voix et sentit que l'on écartait l'herbe. Une exclamation le terrorisa : « An Cooli ? » (Ce n'était qu'un Cooli ?) Il garda le yeux fermés. L'image blanche d'une gaule de coton s'était substituée à l'écran végétal qui venait lui coller à la rétine chaque fois qu'il baissait le rideau palpébral. Et, il revit le visage de Patchi l'instruisant : « Là-bas en Inde, le blanc c'est la mort, tout comme le tambour plat de nos cérémonies. » Le goût du sang avait chassé de sa bouche les relents de putréfaction qui s'y dégageaient. Une brise souffla qui amenait des odeurs de terre fraîche et de sève herbeuse.

Il respirait péniblement. La pénombre crépusculaire masquait son sourire.

Il avait froid. Une eau salée lui remplit la bouche se mêlant au rhum qui lui remontait de la gorge. Brusquement tel le mascaret, aigre comme le massalé.

FIN

GLOSSAIRE

Béké : Blanc créole antillais.

Bijou : sobriquet désignant jadis la monture de la maréchaussée.

Cooli : dénomination péjorative de l'Indien martiniquais.

Cooli-mangé-chien : juron à l'encontre des Indiens (littéralement : espèce de cooli-mangeur de chien).

Habitation : plantation traditionnelle aux Antilles comprenant des terres et une cellule sociale où vivent des travailleurs agricoles.

Lasson : soupe indienne épicée.

Marc-doux : orangeade contenant le fruit pressé.

Madévilin :
Mariemen : Divinités du panthéon hindouiste antillais.

Nagur mira : divinité du voyage du même panthéon.

Pouçali : officiant du rituel sacrificiel hindouiste. En état de transe, il se tient pieds nus sur un tranchant de coutelas.

Vatialou : détenteur de la tradition orale indienne aux Antilles.

Dessingou :
Panděru :
Rameru : Personnages principaux des récits mythiques indiens aux Antilles.

Massalé ou massalaï : pâte composée d'épices et de mandia nécessaire à la préparation du Colombo ou du curry (plats typiquement indiens).

Samblani : fête des morts chez les hindo-antillais.

Achevé d'imprimer par Corlet, Imprimeur, S.A.
14110 Condé-sur-Noireau (France)
N° d'Imprimeur : 215 - Dépôt légal : avril 1991

Imprimé en C.E.E.